A INESPERADA HERANÇA DO INSPETOR CHOPRA

AGÊNCIA DE DETETIVES
BABY GANESH

VASEEM KHAN

AGÊNCIA DE DETETIVES
BABY GANESH

Copyright © *Vaseem Khan*, 2015
Publicado pela primeira vez na Grã-Bretanha em 2015 pela Mulholland Books, um selo da Hodder & Stoughton, uma empresa da Hachette UK
Título original em inglês: *The Unexpected Inheritance of Inspector Chopra*

Tradução: Flávia Souto Maior
Revisão: Ricardo Franzin
Preparação: Victor Gomes
Capa (adaptação da capa original): Luana Botelho
Diagramação: SGuerra Design

Essa é uma obra de ficção. Nomes, personagens, lugares, organizações e situações são produtos da imaginação do autor ou usados como ficção. Qualquer semelhança com fatos reais é mera coincidência.

Todos os direitos reservados. Proibida a reprodução, no todo ou em partes, através de quaisquer meios. Os direitos morais do autor foram contemplados.

Dados Internacionais de Catalogação na Publicação (CIP)

K45i Khan, Vaseem

A inesperada herança do inspetor chopra / Vaseem Khan; Tradução Flávia Souto Maior. – São Paulo: Editora Morro Branco, 2017.

p. 312; 14x21cm.
ISBN: 978-85-92795-04-7

1. Literatura inglesa – Romance. 2. Ficção inglesa. I. Souto Maior, Flávia. II. Título.
CDD 823

Todos os direitos desta edição reservados à:
EDITORA MORRO BRANCO
Alameda Campinas 463, cj. 23.
01404-000 – São Paulo, SP – Brasil
Telefone (11) 3373-8168
www.editoramorrobranco.com.br

Impresso no Brasil
2017

Este livro é dedicado à minha família. À minha finada mãe, Naweeda, cujas palavras ainda me inspiram. Ao meu pai, Mohammed. Às minhas irmãs e ao meu irmão, Shabana, Rihana, Irram e Addeel. E a Nirupama Khan, que primeiro me mostrou sua Mumbai.

O INSPETOR CHOPRA SE APOSENTA

No dia de sua aposentadoria, o inspetor Ashwin Chopra descobriu que havia herdado um elefante.

— Como assim, ele está me mandando um *elefante*? — perguntou perplexo, tirando os olhos do espelho frente ao qual ajeitava o colarinho do uniforme e se virando para a esposa, Archana, que esperava ansiosa na porta e era conhecida por amigos e familiares como Poppy.

— Está aqui, veja você mesmo — disse Poppy, entregando-lhe a carta. Mas Chopra não estava com tempo para aquilo. Era seu último dia de trabalho e o subinspetor Rangwalla esperava por ele no andar de baixo, no jipe da polícia. Ele sabia que os rapazes da delegacia haviam planejado algum tipo de comemoração de despedida e, não querendo estragar a surpresa, fingiu ignorar os preparativos que aconteciam à sua volta a semana inteira.

Chopra enfiou a carta no bolso da calça cáqui, depois foi para a porta acompanhado por Poppy, que exibia descontentamento em seu rosto em formato de coração. Poppy estava irritada. Seu marido nem havia notado que ela estava vestindo um sári novo de seda para esse dia especial, ou que flores de lótus frescas adornavam o coque negro e sedoso em seus cabelos, tampouco que havia aplicado lápis kajal com habilidade sob os olhos castanhos e amendoados. A testa agora estava franzida sobre seu pequeno nariz, e um rubor tomava conta de sua face macia. Mas os pensamentos de Chopra já estavam na delegacia.

O que ele ainda não sabia era que o dia lhe reservava outra, e totalmente inesperada, surpresa – um caso de assassinato, o último de sua longa e ilustre carreira, e aquele que abalaria as bases da cidade de Mumbai e proclamaria o nascimento de sua mais singular agência de detetives.

— Vai fazer quarenta graus hoje — observou Rangwalla, enquanto sacolejavam pela estrada esburacada que saía da Colônia da Força Aérea, onde o inspetor Chopra vivia. Chopra não duvidava. Sua camisa já estava grudando nas costas e um filete de suor escorria de seu quepe até o nariz.

Era o verão mais quente de Mumbai em vinte anos. E, pelo segundo ano seguido, as monções não haviam chegado na época certa.

Como sempre, o caminho para a delegacia estava atravancado pelo trânsito. Autorriquixás cortavam o empoeirado labirinto urbano, uma ameaça tanto para o homem como para os animais. Uma nuvem baixa de poluição formava um bloco de calor, fazendo as narinas de Chopra arderem enquanto ele se debruçava para fora do veículo e olhava para mais um dos inúmeros *outdoors* gigantescos que haviam surgido por toda a cidade desde o início das eleições. Um trabalhador de bermuda e colete esfarrapado equilibrava-se de maneira precária em um andaime de bambu, pintando um bigode no rosto sorridente de um famoso político.

Chopra recostou-se ao passarem pela feira local e o ar tornar-se mais turvo em meio às partículas de especiarias e o cheiro de legumes apodrecendo. Uma fileira de vendedores de alimentos na beira da estrada colaborava com o clima nocivo: trabalhadores braçais com estômagos de aço faziam fila pela ração matutina que chiava em gigantescas frigideiras aquecidas por cilindros de gás.

Mais adiante, eles viram um elefante movimentando-se com dificuldade pela estrada, com seu condutor, um cornaca, empoleirado em suas costas e que usava um chapéu de bambu afundado até as orelhas. Chopra observou o animal passar.

— Um elefante! — murmurou consigo mesmo, relembrando a conversa recente com Poppy. Certamente deveria haver algum engano!

Uma multidão estava reunida no pátio da delegacia. A princípio, Chopra achou que se tratava da "surpresa" que os rapazes estavam planejando para ele..., mas logo se deu conta de que o bando espalhafatoso de cidadãos suados era do tipo que parecia se materializar, como em um passe de mágica, na cena de qualquer confusão nas ruas não pavimentadas de Mumbai.

Dava para ouvir uma voz alta emanando bem do meio da aglomeração de corpos.

No centro da multidão, Chopra encontrou a forma rechonchuda e suada do jovem policial Surat sendo duramente repreendido por uma mulher baixa e troncuda que vestia um sári pardo.

— Meu filho está morto e eles não querem levantar um dedo! — a mulher gritava. — Só estão aqui para servir aos ricos! Não vou deixar se safarem dessa vez!

Inúmeros clones da mulher com a mesma expressão indignada murmuravam palavras de encorajamento das extremidades do círculo.

Chopra notou imediatamente que os olhos da mulher estavam vermelhos e inchados, como se tivesse chorado. Os cabelos grisalhos haviam se soltado do coque e estavam colados em sua testa suada, onde um bindi vermelho borrado contribuía para a impressão de transtorno generalizado. Diante do uniforme e da expressão austera de Chopra, a mulher parou de gritar por um instante.

Chopra sabia que sua figura inspirava autoridade. Um homem alto, de ombros largos e uma bela cabeça repleta de cabelos bem pretos, embranquecendo apenas nas costeletas, ele havia envelhecido bem. Sua pele morena ainda não apresentava rugas. Olhos escuros e expressivos sob sobrancelhas grossas lhe davam aura de homem sério. Abaixo dos olhos havia um nariz que sua esposa lhe garantia ter "personalidade". Intimamente, o maior orgulho de Chopra era seu bigode, abundante e bem cuidado, como uma continência batida com as duas mãos sob o nariz.

— Qual é o problema, senhora? — perguntou Chopra com rigor.

— Por que você não pergunta para *ele*? — ela apontou para Rangwalla, que desviou os olhos do dedo acusador da mulher voltando-se para Chopra.

— Vejam! — uivou a mulher para a multidão de seguidores. — Ele ainda nem *contou* ao inspetor sahib! Se eu tivesse chegado aqui em uma grande Mercedes branca, eles estariam pulando em cima de mim como cães de rua! Mas para uma mulher pobre e seu pobre filho não há justiça!

— Basta! — rosnou Chopra. Ele ficou satisfeito ao ver que todos, até mesmo a mulher, ficaram em silêncio. — Rangwalla, explique-me o que está acontecendo.

— Para que ele vai explicar? — explodiu a mulher. — *Eu* vou explicar! Meu filho, meu garoto querido, foi morto! Seu corpo está em sua delegacia de polícia desde ontem à noite. Até agora, nenhum policial sequer foi até minha casa registrar a ocorrência. Esperei a noite inteira, chorando por meu filho morto.

— Rangwalla, isso é verdade?

— É verdade que temos um corpo, senhor.

— Onde ele está?

— Nos fundos, senhor.

— Senhora, devo pedir que aguarde aqui. Rangwalla, venha comigo.

Rangwalla acompanhou Chopra até os fundos da delegacia, onde ficavam as celas e as instalações de armazenamento. Nas celas, uma dupla de bêbados cochilava, e um ladrão local, velho conhecido de Chopra, fez uma saudação enquanto ele passava.

No depósito, sobre uma pilha de caixotes de banana, estava o corpo.

Chopra retirou o lençol branco com o qual o corpo havia sido coberto e olhou para o rosto inchado e acinzentado. O rapaz, quando vivo, havia sido muito bonito.

— Por que você não me contou?

— Era seu último dia. O rapaz já estava morto mesmo. É um caso típico de afogamento.

— O mundo não parou porque é o último dia do inspetor Chopra — afirmou Chopra com austeridade. E depois: — Onde ele foi encontrado?

— Em Marol, onde termina a tubulação. Deve ter caído no córrego do esgoto. O cheiro definitivamente apontava para isso.

— O córrego deve estar quase seco. — Chopra franziu a testa. — Não chove há meses.

— Parece que ele estava bêbado. Uma garrafa de uísque foi encontrada ao lado de seu corpo.

— Quem o encontrou?

— Um morador da região deu o alarme. Eles mandaram um garoto nos avisar. O garoto foi trazido para cá, e eu mandei o Surat ao local para fazer algumas perguntas, mas ninguém havia visto nada.

Era engraçado, pensou Chopra, como – em uma cidade de vinte milhões de habitantes, onde era praticamente impossível desfrutar de um momento de privacidade – seus concidadãos conseguiam, com tanta frequência, não ver absolutamente nada.

— Por que o corpo foi trazido para *cá*? — Não era comum que um cadáver fosse parar na delegacia.

Normalmente, ele seria transportado diretamente para o hospital local.

— Entramos em contato com o hospital, mas estava acontecendo algum problema por lá. Acho que uns lunáticos fizeram uma barreira na estrada e estavam perturbando os veículos que entravam e saíam. Achei que seria melhor nós mesmos pegarmos o corpo e o mantermos aqui até a manhã seguinte.

Chopra compreendeu. As eleições em curso eram uma questão altamente conflituosa. Por todo o país, pessoas comuns – os "lunáticos" a que se referia Rangwalla – estavam se fazendo ouvir. Estava sendo um período particularmente movimentado para os policiais de Mumbai. Indianos, de modo geral, não acreditavam em manifestações silenciosas.

— Você tem um relatório da ocorrência? Um panchnama?

— Sim. — O panchnama foi preparado pelo policial que chegou primeiro à cena e autenticado por dois moradores locais de "boa reputação", que testemunharam que o corpo havia sido descoberto e que a polícia havia sido devidamente chamada. Rangwalla fizera um bom trabalho. Em muitas áreas de Mumbai, era mais difícil encontrar dois cidadãos de boa reputação do que encontrar o assassino, Chopra ponderava frequentemente.

— Como o corpo foi identificado?

— O rapaz portava uma carteira de motorista. Entramos em contato com a família. A mãe veio ontem à noite e confirmou a identidade. Ela fez um escândalo. Tive que mandá-la para casa.

A perda de um filho, pensou Chopra. Que choque terrível deve ser! Era de se imaginar que a mulher estivesse enlouquecida.

— Ouça, senhor, não me entenda mal, mas... isso logo mais vai ser problema do inspetor Suryavansh. Deixe que ele lide com isso.

Suryavansh era seu sucessor na delegacia. Chopra hesitou, mas logo percebeu que Rangwalla estava absolutamente correto. Era uma questão de protocolo, afinal. Em poucas horas ele deixaria de ser policial. Não seria mais o inspetor Chopra, apenas o bom e velho Ashwin Chopra, mais um membro da *aam junta*, um dos bilhões de cidadãos comuns que tornavam grande a Índia.

Ele foi tomado, de repente, por um profundo sentimento de melancolia.

O dia passou mais rápido do que ele achou que seria possível.

Depois que Rangwalla tomou o depoimento da mulher, ela finalmente concordou em ser levada para casa. Chopra já havia se acomodado na desgastada cadeira atrás de sua mesa para finalizar as diversas formalidades de seu último dia de trabalho.

No teto, o ventilador rangia e espalhava o ar quente pela sala, enquanto o relógio de parede fazia a contagem regressiva dos momentos finais de sua carreira. Para Chopra, o tique-taque remetia a uma bomba-relógio.

Na hora do almoço, ele abriu a marmita e cheirou a comida. Era um ritual. Chopra era extremamente alérgico a gengibre – na presença do qual espirrava descontroladamente – e criou como hábito de longa data verificar suas refeições, mesmo sabendo que sua esposa raramente se esquecia de sua aversão. Para hoje, Poppy havia preparado aloo gobi, um prato típico indiano, acompanhado de um pão chapatti, que ainda estavam quentes dentro dos potes empilhados de marmita. Mas ele não tinha nenhum apetite.

Empurrava o recipiente de aço para o lado justamente quando Poppy ligou para lembrar-lhe de tomar os remédios. Com obediência, Chopra tirou o frasco de comprimidos do bolso, lançou dois sobre a palma da mão e os engoliu com um copo de água e um leve arrepio.

O ritual o deixava muito deprimido.

Às 15h, Chopra foi surpreendido por uma ligação do Comissário-Assistente de Polícia, Suresh Rao. Ele se reportava a Rao há anos – a delegacia de Sahar era uma das três que ficavam dentro da área de responsabilidade do CAP Rao –, mas eles definitivamente não viam as coisas da mesma maneira. Rao já estivera à frente da delegacia de Chakala, um bairro próximo, e Chopra o considerava um brutamontes dissimulado, um ditadorzinho barrigudo, de rosto redondo, conhecido por demonstrar favoritismos e pelo uso excessivo da força policial. Como era típico na polícia de Brihanmumbai, Rao havia sido promovido, enquanto Chopra continuava em seu antigo cargo.

Por um instante, Chopra se perguntou se Rao havia telefonado para tripudiar. O CAP estava feliz da vida desde que descobrira que Chopra seria obrigado a se aposentar precocemente. Mas Rao o surpreendeu quando a conversa seguiu uma direção completamente diferente:

— Chopra, fiquei sabendo que um corpo foi encontrado em Marol ontem à noite.

— Sim — Chopra afirmou. — É isso mesmo. — Ele não conseguia se obrigar a pontuar as frases com "senhor" quando falava com o CAP.

— Pode me dizer quem autorizou que o corpo fosse levado para a sua delegacia, e não para o hospital?

Chopra hesitou, depois respondeu:

— Fui eu que autorizei. — Ele não queria comprometer Rangwalla. — Qual é o problema, exatamente?

— Bem, esse não é o procedimento, é? — resmungou o CAP. — De qualquer modo, certifique-se de que o corpo seja mandado para o hospital agora mesmo. Lembre-se, Chopra, hoje é o seu último dia. Seu interesse nesses assuntos chegou ao fim.

— Meu interesse nesses assuntos chega ao fim precisamente às 18h — Chopra afirmou.

— Sempre cabeça-dura! — Rao disse, perdendo a paciência. — Bem, deixe-me dizer uma coisa, Chopra. Seus dias de insubordinação acabaram. — Ele respirou fundo. — Mande aquele corpo para o hospital. É uma ordem!

— E a autópsia?

— Que autópsia?

— O rapaz pode ter sido vítima de assassinato. Vou autorizar uma autópsia.

— Você não vai fazer nada disso! — Rao explodiu. — O caso foi aberto e encerrado. O rapaz se afogou. Não há necessidade nenhuma de autópsia.

O que está acontecendo aqui? — Chopra pensou.

— Como *você* sabe que o rapaz se afogou?

Rao parecia engasgar do outro lado da linha, depois disse:

— Eu procuro saber de tudo. É por isso que sou CAP e você não. Agora, ouça com muita atenção: não haverá autópsia. O rapaz se afogou. Caso encerrado.

— Talvez eu tire minhas próprias conclusões — Chopra disse com irritação.

— Por Deus, homem, quem você pensa que é? — Rao explodiu. — Vou confiscar seu distintivo...! — Ele parou, como se percebesse o que estava dizendo. Depois: — Apenas mande esse corpo para o necrotério.

Rao bateu o telefone.

Chopra ficou olhando para a parede por um bom tempo até finalmente devolver o telefone para a base.

O fim do dia chegou. O inspetor Chopra começou a guardar suas coisas. Ele havia trazido uma caixa e, dentro dela, organizava o conteúdo da mesa e dos armários que esvaziava. Mesmo depois de tantos anos, não havia muita coisa. Ele nunca foi de decorar sua sala com bugigangas. Não havia fotos de Poppy ou dos filhos, nenhuma imagem enfeitada de seus falecidos pais. Ele tinha uma caneta folheada a ouro e um tinteiro, presente de sua mulher em um de seus aniversários. Tinha as placas que havia recebido por completar dez, vinte e trinta anos de serviço. Tinha uma luminária de mesa, sob a luz da qual ele havia escrito inúmeros relatórios no silêncio das noites da delegacia. Tinha o lagarto empalhado de olhos vidrados, que seu velho amigo Ashok Kalyan havia lhe dado de brincadeira há muitos anos, como lembrança da vez em que caíra dentro de um poço em seu vilarejo natal, Jarul, no distrito de Aurangabad, Maharashtra. Ashok teve que resgatá-lo, mas não antes de Chopra ficar rouco de tanto gritar de terror devido ao monte de lagartos que, em seu próprio pânico, escalavam todo o seu corpo. (Chopra ainda detestava as criaturas, e estremecia a cada monção, quando eles tendiam a entrar nos apartamentos de Mumbai e se esconder atrás das cortinas, ou nos banheiros, correndo por aí quando se menos esperava).

Chopra ficou decepcionado por não ter recebido uma ligação de Ashok. Ashok era um MAL – Membro da Assembleia Legislativa do estado – pelo colégio eleitoral de Andheri Leste, onde Chopra vivia. Chopra sabia que Ashok estava extremamente ocupado nos últimos dias devido às eleições, mas ainda assim esperava que ele pudesse ligar. Afinal, eles se conheciam há muito tempo. Na verdade, desde que entraram juntos para a força policial de Mumbai, há mais de trinta anos.

Chopra hesitou momentaneamente ao avistar a fotografia emoldurada de si próprio recebendo seu Kirti Chakra, uma medalha de bravura do Comissário Adjunto de Polícia. Datava de nove anos atrás, quando ele liderou uma batida policial a um depósito na região industrial adjacente de MIDC-SEEPZ, onde o famoso gangster Narenda "Kala" Nayak estava escondido. Nayak era alvo de uma perseguição que se estendia por toda Mumbai, mas foi Chopra e sua brigada de policiais locais que finalmente o capturaram.

Chopra tirou a fotografia da parede e a colocou com o resto de seus pertences.

De modo geral, seu tesouro era bastante escasso.

Uma coisa curiosa aconteceu quando ele terminou de guardar tudo. Notou uma estranha sensação surgindo no fundo do estômago, que aos poucos o consumia.

— É só mais um dia — ele murmurou para si mesmo, mas as palavras soaram vazias, até mesmo para seus próprios ouvidos. Ele vinha se preparando para esse momento há oito meses, desde que o laudo médico confirmara seus piores temores; ainda assim, agora que havia finalmente chegado, ele descobriu que, afinal, não passava de um mero mortal.

Até mesmo o inspetor Chopra, que nunca permitia que suas emoções o dominassem, que era sempre racional e lúcido, podia ser tomado pelo sentimentalismo.

E finalmente havia chegado a hora de partir.

— Rangwalla, por favor chame um riquixá.

Rangwalla olhou para ele, perplexo.

— Mas, senhor, eu vou levá-lo para casa de jipe!

— Não — Chopra disse com firmeza. — Não seria apropriado. A partir de agora, não sou mais policial. Sou um cidadão comum, e por isso, não tenho o direito de voltar para casa em um jipe da polícia. E você não precisa mais me chamar de "senhor".

— Sim, senhor.

Chopra não podia deixar de notar os olhos ligeiramente marejados de Rangwalla. Eles haviam servido juntos por vinte anos, um tempo considerável sob todos os aspectos. Caso Chopra considerasse algum de seus policiais um amigo, Rangwalla seria o mais próximo dessa descrição.

Rangwalla, um homem magro, de rosto escuro arruinado pela acne de sua infância – as crateras ficavam agora parcialmente escondidas sob uma barba preta cerrada –, era muçulmano devoto e havia provado, no decorrer dos anos, ser mais do que um tenente competente. Sua falta de educação formal era compensada por ter crescido nas duras ruas de Bhendi Bazaar, território muçulmano no sul de Mumbai. Era raro que alguém ingressasse na corporação por meio de exames de admissão comuns e conseguisse chegar ao posto de subinspetor, mas Rangwalla tinha o que Ashok Kalyan chamava de "malicia", um produto que Chopra sentia estar rapidamente saindo de moda na Índia moderna.

O autorriquixá chegou. O policial Surat colocou a caixa com os pertences de Chopra no veículo e Chopra apertou de forma solene a mão de cada um dos funcionários da delegacia, muitos dos quais não conseguiram conter as emoções. Todos os homens haviam lhe trazido um presente, e que agora entregavam com a devida cerimônia. O policial Surat, que era jovem, acima do peso e muito impressionável, admirava Chopra como a um herói, e deu ao inspetor uma pequena estátua de mármore de Krishna tocando sua flauta, lacrimejando amargamente ao fazê-lo.

Chopra, ao lado do riquixá, deu uma última olhada para a delegacia, para sua parede externa pintada de branco, para as janelas gradeadas, para a pequena palmeira no pátio de ladrilhos de terracota, para a placa pintada a mão, desgastada pelo sol, sobre as portas vaivém permanentemente abertas, exibindo o nome da delegacia... Vinte anos!, ele pensou. Vinte anos no mesmo lugar!

Ele se deu conta de que conhecia esse lugar mais intimamente do que sua própria casa. O pensamento o fez ficar com um nó na garganta.

CHEGA O ELEFANTE

Quando parou no portão de seu condomínio, Chopra se viu confrontado por mais uma multidão. Multidões espontâneas, ele refletiu melancolicamente, eram a peste de Mumbai.

Um caminhão plataforma estava estacionado em frente ao condomínio, e o motorista apoiava-se casualmente na parte de trás, mascando um pedaço de cana-de-açúcar.

Chopra pagou o motorista do riquixá e entrou no condomínio.

Respeitosamente, a multidão abriu caminho, e Chopra se viu entre sua esposa, um homem pequeno, vestido com um dhoti e uma camiseta regata, e um elefante.

Um elefante bebê, ele se corrigiu, e um bem pequeno, por sinal.

A pequena criatura estava abaixada no chão empoeirado, aparentemente alheia à confusão à sua volta. Suas pequenas orelhas espantavam uma ou outra mosca, enquanto a tromba pendia enrolada sob a cara. Um pedaço de corrente enferrujada envolvia seu pescoço, e na outra ponta estava a mão do homem vestido com um dhoti.

Chopra ficou tentado a se beliscar. Durante o dia agitado na delegacia, ele havia praticamente apagado de sua mente a inoportuna notícia do elefante. Parecia inacreditável demais, talvez mais uma das pegadinhas pelas quais seu tio sempre foi famoso.

Mas não havia como fugir do fato de que um paquiderme em carne e osso estava, naquele momento, estacionado na porta de Chopra.

— Ah, Chopra, que bom que está aqui. — disse franzindo a testa a Sra. Rupa Subramanium, presidente do Comitê Administrativo da Colônia da Força Aérea. — Eu estava explicando à sua esposa que não são permitidos animais de estimação no condomínio. O senhor vai encontrar essa informação nitidamente registrada na parte 3, subseção 5, cláusula 15.5.2 do regulamento do prédio, como tenho certeza de que está ciente.

— Não é um animal de estimação — Poppy disse com fervor. — É um membro da família.

A Sra. Subramanium, uma presença alta, parecida com um louva-a-deus e que usava um sári escuro e corte de cabelo sisudo, nem se dignou a responder àquela afirmação ridícula.

Chopra suspirou. A Sra. Subramanium estava certa, é claro. Mas ele sabia que sua esposa nunca concordaria com esse fato.

Poppy Chopra havia sido a primeira pessoa a desafiar o domínio de longa data da Sra. Subramanium sobre o complexo de apartamentos da Colônia da Força Aérea. Logo que se mudaram para o condomínio, cinco anos atrás, ela rapidamente descobriu que os outros moradores morriam de medo da velha viúva. Nenhum deles jamais havia questionado os decretos da Sra. Subramanium; na verdade, ninguém nunca havia sequer solicitado uma cópia dos lendários regulamentos do prédio, os quais ela citava com frequência e onde supostamente estavam sacramentados os dogmas de sua ditadura ferrenha.

Poppy, como Chopra descobriu não muito depois de se casarem, não tinha medo de nada nem de ninguém.

Logo ela estava fundando seus próprios comitês e convocando os vizinhos em prol de várias causas levantadas por ela mesma.

Só no ano anterior, ela havia conseguido – para o desprazer da Sra. Subramanium – convencer o Comitê Administrativo a aprovar uma resolução para abrir os terraços das coberturas das três torres de vinte andares que compunham o condomínio para reuniões e comemorações, como o Diwali ou a véspera de Ano Novo. Muitos prédios em Mumbai faziam isso corriqueiramente, mas a Sra. Subramanium vetara há muito tempo esse tipo de reunião, alegando que ocasionavam o que ela considerava "comportamento inadequado".

Chopra olhou entre as duas mulheres, enquanto faziam cara feia uma para a outra. Ele sabia que, enquanto sua esposa estivesse com esse humor, não adiantaria falar com ela.

No final, resolveu-se que o elefante ficaria amarrado em um poste ao lado da guarita, nos fundos do condomínio, e permaneceria ali até a Sra. Subramanium reunir o Comitê Administrativo para que discutissem a questão.

Chopra e Poppy moravam no décimo quinto andar da primeira torre de apartamentos do condomínio, a Poomalai. As outras duas se chamavam Meghdoot e Vijay. As três torres haviam recebido nomes de operações famosas realizadas pela Força Aérea Indiana. A falta de espaço de Mumbai ditava que a maior parte da emergente classe média agora vivesse nessas prisões em forma de prédios altos. A cidade era toda um grande pátio de obras. Se continuassem erguendo torres no ritmo atual, Chopra imaginava que Mumbai logo lembraria uma gigantesca almofada de alfinetes. A ideia não o agradava.

Quando ele abriu a porta de seu apartamento, foi imediatamente envolvido por um intenso fedor de incensos e madeira queimada. Seus sentidos vacilaram.

Do chão da espaçosa área de estar principal, o rosto da pessoa de que ele menos gostava no mundo virou-se com seu costumeiro olhar de reprovação.

— Onde você estava? — perguntou Poornima Devi, mãe de Poppy. — Não podia ter chegado na hora pelo menos para isso? — A velha – uma presença aracnídea em seu sári branco de viúva e os cabelos presos em um coque grisalho – olhou para ele com cara feia, irradiando hostilidade pelo tapa-olho preto.

Ele e a sogra nunca compartilharam das mesmas visões. Em parte, isso era literalmente verdade, devido ao fato de ela ter apenas um olho – tinha perdido o outro em uma desavença com um galo muitos anos antes –, mas principalmente porque nunca aprovara Chopra como marido para sua filha.

Na época em que avaliava cuidadosamente pretendentes para a filha, Poornima Devi havia ficado sabendo que um latifundiário local, Mohan Vishwanath Deshmukh, estava de olho em Poppy. O fato de ele ser um viúvo com reputação de bêbado e mulherengo, trinta anos mais velho que Poppy, não parecia incomodá-la. Era um latifundiário, e era só isso que importava.

"Você poderia ter sido esposa de um jagirdar" era uma frase que Chopra sempre escutava escapar dos lábios da velha. Normalmente, ela esperava que ele estivesse por perto antes de falar isso para a filha, principalmente depois que foi morar com eles, há três anos, quando seu marido, Dinkar Bhonsle, faleceu.

Mais uma vez, Chopra refletiu sobre o quanto a morte era democrática, por levar um homem nobre, respeitado e generoso como seu sogro e deixar para trás a esposa irritante, sobre a qual ele nunca ouviu ninguém dizer nada de bom.

Em inúmeras ocasiões, Chopra havia tentado convencer Poppy de que sua mãe ficaria melhor com seu filho no vilarejo. Era, afinal, dever do filho cuidar da mãe enferma, e não do genro. Mas Poppy nem queria saber.

"Você sabe como Vikram é gastador", ela dizia. "Ele mal consegue cuidar de si mesmo, como vai cuidar da Mummiji?"

Chopra franziu a testa, alarmado, quando sua sogra foi para cima dele. Então, lembrou-se de que a velha devota – auxiliada e encorajada por sua esposa – havia organizado uma cerimônia religiosa especial para marcar a ocasião de sua aposentadoria.

Por natureza, Chopra não era um homem religioso. Há muito tempo, havia decidido que a religião organizada era a causa número um de discórdia em seu grande país. Ele se considerava um devoto secularista; tratava todas as religiões com o mesmo respeito e a mesma indiferença pessoal. Esse nobre sentimento era complicado pelo fato de Poppy ser uma grande fã de todas as coisas que as envolviam, o que Chopra considerava uma ostentação de sua fé.

Esta noite, por exemplo. A aposentadoria era um fato banal. O que Deus tinha a ver com isso?

Chopra olhou, impotente, para sua esposa. Mas Poppy era uma conspiradora voluntariosa de sua tortura e apenas sorriu, encorajando-o.

Ele permaneceu ali o suficiente para que sua sogra espalhasse cinzas sagradas em sua testa e enfiasse um açucarado ladoo velho em sua boca, com tanta má vontade que quase lascou um de seus dentes. Então, pediu licença para se retirar.

Desceu as escadas e voltou para o pátio, onde encontrou um grupo de crianças do prédio reunidas em volta do elefante, agora preso com corrente e cadeado a um poste de metal ao lado da guarita, na parte de trás das torres. Essa parte do condomínio era cimentada e fazia uma curva íngreme para baixo antes de tornar-se plana e encontrar a parede de tijolos que circundava todo o complexo. A área formava uma depressão que sempre inundava na época de monções, deixando os pobres vigias Bahadur e Bheem Singh com água de chuva até os joelhos quando iam e voltavam da guarita.

O filhote de elefante estava abaixado no chão e mirava as crianças com olhos tristes. Parecia terrivelmente abatido, Chopra pensou, e um tanto quanto subnutrido. Frágil não é uma palavra normalmente associada a um elefante, mas este certamente parecia que precisava se fortalecer.

Ele notou que as crianças haviam desenhando uma série de círculos com giz colorido em volta do filhote. Enquanto ele observava, elas começaram a rodar em volta dele e cantar: "Jai, Bal Ganesha! Jai, Bal Ganesha! ". Uma das crianças se abaixou de repente e desenhou um bindi vermelho na testa do elefante. O filhote imediatamente abaixou as orelhas e fechou os olhos. Sua tromba se enrolou ainda mais sob a boca. Parecia que ele queria, a todo custo, se enterrar no chão. Chopra podia sentir a agonia da criatura.

— Crianças, esse elefante não é brinquedo — ele disse com seriedade. — Vamos. Vão brincar em outro lugar.

As crianças saíram andando contrariadas, lançando olhares decepcionados para o filhote trêmulo.

Naquele momento, o vigia Bahadur apareceu. Chopra olhou para ele com seriedade e disse:

— Bahadur, você agora é responsável por este elefante. Ninguém deve importunar a pobre criatura. Entendeu?

Bahadur endireitou o corpo como pôde em sua altura nada impressionante, meio perdido dentro de sua camisa cáqui e da bermuda, grandes demais para seu corpo. Com seu rosto redondo e olhos de oriental, Bahadur descendia dos Gurkhas, uma etnia natural do Nepal; seu verdadeiro nome era algo impronunciável. Ele inflou o peito como um pombo.

— Ji, sahib!

— Ele comeu alguma coisa?

— Não, sahib. — Bahadur apontou para uma pilha de bananas e vegetais mistos ao lado do filhote, uns mais frescos e outros meio podres; mas todos intocados.

— Por sinal, é menino ou menina?

Bahadur abriu a boca para falar, mas se deu conta de que não sabia a resposta.

— Um minuto, sahib. — Sem perder tempo, ele se abaixou no chão, ergueu o rabo do elefante e tentou verificar o sexo da criatura. — É menino, sahib.

Chopra se agachou e deu um tapinha na cabeça do elefante.

— Bem, jovem Ganesha, o que vou fazer com você?

Aquela noite, o inspetor Chopra acordou com uma leve sensação de teias de aranha passando por seu rosto. Ele sentou na cama e se virou para Poppy, que estava, como sempre, totalmente apagada. Quando eram mais jovens, ele chegou a ficar preocupado que houvesse algo anormal ou até mesmo insalubre no modo como sua esposa parecia adentrar um sono encantado todas as noites.

No canto do quarto, o ar-condicionado zunia. Ele desejou que, pelo menos uma vez, Poppy acordasse para que pudessem conversar.

Depois de um tempo, sem conseguir dormir, ele se levantou e foi para a sala, passando pelo quarto da sogra na ponta dos pés.

Chopra aproximou-se das janelas, abriu as cortinas e olhou para a cidade.

De seu apartamento no décimo-quinto andar ele tinha uma excelente vista de Sahar e da área vizinha, Marol. À pouca distância, ele conseguia ver a placa de neon azul do lendário Hotel Leela Kempinski e os grandes prédios com fachada de vidro das multinacionais que agora ocupavam a Andheri – Kurla Road. Um pouco mais ao norte ficava a favela, estendida ao longo da tubulação de esgoto de Marol.

Seu olhar afiado acompanhava o tráfico noturno que acelerava pela Sahar Road e desembocava na rodovia Western Express, que ia dos bairros residenciais até os confins da cidade. Mendigos destemidos dormiam nos parapeitos de vinte e cinco centímetros do viaduto do aeroporto, alheios à queda fatal de um lado e ao trânsito veloz do outro.

Era isso que tornava os habitantes de Mumbai os melhores indianos dessa terra, Chopra sentia. Essa crença em sua própria invulnerabilidade.

Chopra amava a cidade de Mumbai.

Quando lá chegou, há cerca de três décadas, ficou aterrorizado só de ver aquela gigantesca massa humana. Foi um grande choque para ele, que vinha das paisagens abertas de seu vilarejo. Agora, ele não conseguia imaginar viver em um lugar sem o barulho e a energia que movia Mumbai o tempo todo, dia e noite.

Ele ouvia com frequência seus colegas reclamando dos muitos problemas que assolavam a cidade: as favelas, a poluição, a pobreza opressiva, as altas taxas de criminalidade. Chopra achava que todos desconsideravam o ponto principal. Como disse um homem famoso, uma cidade era como uma mulher e, como a uma mulher, não era possível amar apenas as partes boas; era preciso amá-la por inteiro, ou não amá-la de modo algum.

E, ainda assim, ultimamente, ele podia levantar em uma manhã clara, e ao olhar pela janela, pensava que havia acordado em um lugar completamente desconhecido. A gloriosa marcha de Mumbai rumo ao seu destino a estava deixando irreconhecível a seus olhos: a profusão da terceirização, o advento da política Hindutva radical, a ocidentalização de Bollywood.... Todos eram sintomas de uma transformação assustadora que alguns eram tolos o bastante para chamar de *boom*. E o tempo todo a cidade crescia, crescia e crescia.

Chopra sabia que sua visão nostálgica da Índia era idealizada – afinal, os problemas universais do país, como corrupção, preconceito de casta e pobreza, eram históricos. Ainda assim, ele não conseguia deixar de sentir que, por mais inaceitável que pudesse ser a imagem que ele fazia da Índia, aquela continuava sendo a Índia *real*, a que ele amava e a que estava desaparecendo rapidamente graças ao mantra do progresso.

Sim, pensou o inspetor Chopra, tudo mudou; mas eu ainda sou o mesmo.

De repente, ele ouviu um gemido aflito. Debruçou-se na janela e olhou para o pátio.

Ao lado da guarita, dava para ver o elefante se movimentando, ansiosamente dando voltas no poste ao qual estava acorrentado. A visão do filhote fez Chopra se lembrar do extraordinário fato de que ele era, agora, o dono desse animal – tudo graças a seu tio Bansi... É claro! A carta! Ele tinha se esquecido completamente dela.

Chopra voltou lentamente para o quarto, pegou a carta no bolso do uniforme e retirou-se para o escritório.

Acendeu a luminária de mesa, colocou os óculos de leitura e começou a ler.

"Caro Krishna", começou o tio Bansi. (Chopra sorriu. Seu querido tio Bansi o chamava de Krishna desde que, como uma precoce criança de dez anos de idade, fora pego espiando as moças do vilarejo que se banhavam no rio. Quando jovem, o Lorde Krishna era famoso por importunar moças que brincavam no rio, frequentemente fugindo com seus batedores de manteiga ou quebrando seus jarros de água.) "Sei que não entro em contato com você há muitos anos, mas gostaria de lhe pedir um grande favor. Não me resta muito tempo, e devo tomar as medidas necessárias. Logo depois que receber esta carta, um elefante chegará à sua casa. O meu pedido é que acolha e cuide desse elefante. Ele é recém-nascido, não tem nem um ano de idade. Se eu lhe contasse as circunstâncias pelas quais ele chegou ao mundo, você não acreditaria. Pelo menos não ainda. Deixe-me dizer apenas uma coisa: *ele não é um elefante comum.* Lembre-se: o que é real e o que é *maya*, ilusão, é apenas uma questão de perspectiva. De seu tio Bansi."

Era uma carta estranha, pensou Chopra, mas Bansi, irmão mais velho de seu pai, sempre fora um homem estranho.

O pai de Chopra amava muito o irmão, disso ele sabia, e gostava muito de entreter o jovem Chopra contando-lhe histórias de seu tio, aumentando a fama quase mitológica de Bansi a cada narrativa improvável.

Uma coisa Chopra havia estabelecido como fato: quando criança, Bansi caíra dentro da cesta de um encantador de serpentes itinerante. Para surpresa de todos, ele saiu da cesta completamente ileso.

Daquele dia em diante, tornou-se de conhecimento geral que Bansi tinha uma afinidade especial com animais. Talvez fosse uma profecia autorrealizável, mas, com o passar do tempo, Bansi realmente provou ter jeito com as criaturas que compartilhavam o mundo com o homem. Ele até alegava ser capaz de falar com elas, embora só os habitantes mais crédulos do vilarejo acreditassem nisso.

Na manhã de seu aniversário de dezoito anos, Bansi desapareceu.

Não voltou por dez longos anos, e a essa altura todos já pensavam que ele havia falecido há muito tempo.

Quando retornou, estava quase irreconhecível. Seus cabelos haviam ficado prematuramente brancos, deixara crescer uma longa e emaranhada barba até a altura da barriga e seus olhos pareciam guardar coisas que homens comuns não eram sequer capazes de imaginar.

Porém, a despeito dessa transformação alarmante, a família e os amigos de Bansi logo descobriram que ele continuava sendo basicamente o mesmo garoto que havia deixado o vilarejo todos aqueles anos antes – uma peste inteligente e aventureira.

Foi justamente durante esse período que Chopra, ainda muito novo, pode conhecer seu tio itinerante.

Bansi logo o tornou seu protegido, e saía escondido com ele para suas frequentes caminhadas pelo vilarejo. Circulavam com frequência pelas pequenas vilas vizinhas, onde Bansi já estava se tornando conhecido como um sadhu, um homem procurado por suas bênçãos. Em troca sempre havia uma guloseima, um pacote de rapadura ou um pedaço de cana-de-açúcar, que Bansi, sempre uma alma generosa, dividia com seu sobrinho.

Chopra se lembrava de como seu tio balbuciava estranhos encantamentos a pedido de algum fazendeiro crédulo, tremulando as pálpebras e fazendo uma cena, em grande parte para a admiração do público. "Eles apreciam o teatro", seu tio lhe dizia depois, com um sorriso no rosto. "É claro que isso não quer dizer que essas coisas não existem. Os grandes mistérios do cosmos estão à nossa volta, semeados na terra, no céu, no ar que respiramos; só precisamos abrir nossos sentidos a eles".

Eles dormiram uma noite sob as estrelas, e Bansi contou a ele sobre suas viagens a lugares exóticos como Agra, Lucknow e Benares, atual Varanasi e a cidade mais sagrada do país, e mais tarde ao topo do mundo, o Himalaia, cordilheira onde nascem os rios Ganges e Bramaputra.

Bansi contou a ele sobre Punjab e o vilarejo de Goli, na fronteira entre a Índia e o Paquistão, local onde os ancestrais de Chopra viveram antes de migrarem para Maharashtra, cerca de três gerações atrás, por um motivo de que ninguém parecia se lembrar.

O bisavô de Chopra, um homem velho e encarquilhado, muito mais ancião do que Chopra, do alto de seus oito anos, era capaz de conceber, ainda se lembrava da mudança, e contou a ele com sua voz rouca de sapo-boi sobre os problemas que tiveram para se adaptar à cultura marata. Mas eles se adequaram, e agora os indivíduos da família Chopra eram verdadeiros maratas: Chopra, como toda a sua família, falava marata fluentemente, além de seu punjabi nativo, e gostava muito da comida marata. Houve até mesmo casos de membros da família que casaram com maratas – na verdade, a própria esposa de Chopra, Poppy, era descendente de uma distinta família marata.

Ao ler a carta de Bansi, Chopra viu-se tomado por emoções conflitantes. Ele não tinha contato com seu tio há quase duas décadas. A essa altura, devia ser um homem velho, ainda que, com o passar dos anos, Bansi tenha demonstrada uma incrível resiliência aos efeitos do tempo. Ele continuou vivendo como um nômade, retornando a seu vilarejo em intervalos cada vez menos frequentes após suas andanças errantes, mas sempre com uma coleção ainda mais fabulosa de histórias.

Chopra não pensava em Bansi há anos, e agora, do nada, aqui estava essa carta.

Além do estranho pedido, a carta parecia sugerir que seu tio acreditava não ter muito mais tempo neste mundo. A ideia ensejou emoções que Chopra não sentia há muito tempo. De repente, voltou a ser criança, rindo e brincando ao lado do tio alto e endiabrado, ambos pulando o deteriorado muro de pedras do pomar de Jagirdar Deshmukh para roubar as mangas mais maduras, devorando uma fruta atrás da outra até o doce néctar lhes escorrer pelo queixo e nuvens de moscas descerem das árvores para os perseguir, apenas alguns momentos antes da chegada do jardineiro enraivecido.

DE VOLTA À DELEGACIA

Na manhã seguinte, o inspetor Chopra acordou pela primeira vez em trinta e quatro anos sem a consciência de ser um policial.

Ficou na cama por um tempo, olhando fixamente para o teto. Sentiu seu corpo pedindo para levantar, tomar um banho e vestir o uniforme.

Inércia – não era assim que as pessoas chamavam? Afinal, quando alguém está correndo, leva um tempo para o corpo parar, mesmo depois de ultrapassar a linha de chegada.

Quando chegou à mesa do café da manhã, vestindo uma camisa branca comum e calças de algodão, ele se sentiu estranhamente nu.

Poppy já estava movimentando-se pela cozinha com a empregada doméstica, Lata, e abriu um sorriso acolhedor.

— Que bom tê-lo em casa para o café da manhã — ela disse, radiante. — Fiz o seu prato preferido: masala dosa com sambar.

Chopra olhou para a dosa fumegante em seu prato e se deu conta de que estava sem apetite. Estava acostumado a sair de casa às 7h em ponto. Na delegacia, pedia para o policial Surat buscar um vada pao em um dos muitos vendedores de rua espalhados perto da Sahar Road. No alvoroço das manhãs da delegacia, aquele era todo o café da manhã que precisava.

Depois da refeição, sentou-se no escritório de casa e tentou ler; livros que sempre desejou ter tempo para ler. Mas logo se lembrou de que aqueles livros – manuais de polícia cheios de descrições – não tinham mais nenhuma utilidade. Ele organizou o escritório, mesmo que já estivesse, como sempre, bem arrumado. Depois mudou os móveis de lugar, mesmo que já estivesse bom do outro jeito. Tentou assistir a um jogo de críquete na pequena televisão colorida que havia colocado em frente à sua poltrona de vime preferida. A Índia estava jogando no exterior e o jogador favorito de Chopra, Sachin Tendulkar, havia terminado a partida do dia anterior muito próximo de mais uma centena de corridas. Mas hoje, embora costumasse se entusiasmar acompanhando as rebatidas de Sachin, ele notou que sua mente estava divagando.

Depois de um tempo, foi até sua mesa e pegou o cachimbo calabash que havia comprado muitos anos atrás.

Embora nunca tivesse admitido, Chopra era na verdade um anglófilo enrustido. Havia herdado um respeito saudável pelos britânicos de seu pai, que, ao mesmo tempo em que não fechava os olhos para suas falhas, também entendia o que os arquicolonialistas haviam trazido ao subcontinente durante seu reinado de trezentos anos. Chopra gostava de todas as coisas britânicas, e quando era um jovem impressionável foi cativado por Basil Rathbone interpretando Sherlock Homes em *Sherlock Holmes Enfrenta a Morte*. O cachimbo era uma afetação que Chopra exercia apenas na privacidade de seu escritório. Ele não era fumante, mas gostava de se sentar em sua varanda e segurar o cachimbo como acessório ao processo de pensar.

Na parede do escritório havia um retrato do outro grande herói de Chopra, Gandhi. Ele sabia que, na Índia moderna, Gandhi era considerado irrelevante por muita gente. Chopra não concordava. Ele sempre carregava consigo um livrinho já bem desgastado de gandhismos. Ele sabia, com base em experiência de longa data, que Gandhi tinha uma citação para todas as ocasiões.

Ele pegou o livro e o folheou.... Que tal essa? "É a qualidade de nosso trabalho que vai agradar a Deus, não a quantidade".

De alguma forma, aquelas palavras não lhe trouxeram nenhum conforto.

Ele começou a escrever uma carta para seu bom amigo CAP Ajit Shinde, que se transferira para uma área nas selvas infestadas por naxalitas no Leste de Maharashtra há alguns anos, em busca de uma promoção. Haviam oferecido o posto a Chopra antes de Shinde, mas ele havia recusado. Por sinal, havia recusado promoções a CAP três vezes na carreira. Odiava a politicagem que acompanhava os altos cargos na força policial de Mumbai; sempre preferira o aspecto mais prático do ofício de policial.

Na metade da carta, ele largou a caneta e ficou olhando para a parede.

Levantou-se e foi até a janela.

Prometia ser mais um dia de calor escaldante. Chopra imaginou vários dias como esse estendendo-se à sua frente para sempre.... É isso a aposentadoria?, pensou. Essa sensação de ter entrado em uma sala de espera, um lugar que não é aqui, nem ali?

Ele se lembrou da visita ao médico, oito meses atrás, depois do ataque cardíaco que quase lhe custou a vida. O Dr. Devidikar, um senhor de idade com pelos saindo pelas orelhas e um ar tranquilizador de sabedoria e integridade, havia explicado a Chopra e a uma estarrecida Poppy que o inspetor estava sofrendo de uma condição chamada "angina instável". Aquelas palavras, p0or si só, pareciam conjurar a possibilidade de um destino imprevisível e calamitoso. Poppy quase desmaiou, como se o Dr. Devidikar tivesse pronunciado a sentença de morte de Chopra naquele exato momento.

"Não se preocupe, não se preocupe", o médico disse em tom de voz bem-humorado. "Ainda não terminamos com o senhor". Ele havia dito a Chopra que a condição era bastante comum, embora não costumasse acometer homens tão em forma como Chopra evidentemente estava. "Mas essas coisas podem ser genéticas. O corpo é um grande mistério, senhor". O médico, então, desferiu o golpe que Chopra tanto temia. "Receio que o senhor deva desistir imediatamente de todas as atividades que possam causar ansiedade ou estresse. O próximo ataque pode ser fatal, senhor".

O médico aconselhou que Chopra adiantasse sua aposentadoria da força policial. Esse conselho foi encaminhado para seus superiores.

Chopra resistiu, é claro, mas Poppy o atormentou sem parar, até ele, por fim, concordar. A ideia de transformar sua esposa em uma viúva fez com que se sentisse egoísta e culpado. Ele não poderia fazer aquilo com Poppy. Além disso, a vida não terminaria só porque ele estava se aposentando.

"Hoje em dia a vida começa aos cinquenta, senhor", disse o Dr. Devidikar, com brilho nos olhos.

Mas e quanto a essa sensação suprema de... de... *desolação*?

Por que o bom e velho Dr. Devidikar, aquele da "vida começa aos cinquenta", não o alertou sobre isso? Esse sentimento de atordoamento, de indiferença, de, sendo sincero consigo mesmo, pânico devastador que Chopra estava vivenciando? Devidikar havia dito que ele deveria evitar atividades que pudessem lhe causar estresse. Será que imaginava quanto estresse *aquilo* lhe causava? Não poder fazer as coisas que havia passado a vida inteira fazendo, as coisas que efetivamente davam forma e propósito a sua vida?

Chopra era um homem prático e já havia começado a planejar seu futuro fora da corporação. Dinheiro não era problema. Ele receberia aposentadoria integral e era um homem de poucas necessidades. Não. O que aterrorizava Chopra era sentir nas entranhas que, independentemente do que fizesse agora, nunca seria suficiente, nunca seria condizente com o homem que ele era.

Não havia remédio que Devidikar pudesse prescrever para isso.

Depois do almoço, Chopra resolveu sair para dar uma volta.

Lá embaixo, no pátio, ele primeiro foi ver como estava Ganesha. O pequeno elefante ainda não havia comido nada e, na verdade, parecia ainda mais desanimado que no dia anterior.

Chopra sentiu uma palpitação de preocupação genuína. A evidente agonia de Ganesha o incomodava. O elefante era um filhote e Chopra sempre achou a dor de uma criança a mais difícil de suportar. Era um dos motivos por ele ser tão duro com quem maltratava crianças.

Ele esperava que Ganesha parasse logo de sentir medo.

Chopra perambulou pela Colônia da Força Aérea, passando pelos jardins que, devido à estiagem prolongada, haviam se reduzido a um monte de gravetos queimados. Vagou pelas quadras vazias de badminton, onde jogava de vez em quando uma partida com seu amigo e vizinho, o capitão P. K. Bhadwar, que pilotava aviões de passageiros e tinha um *lob* de *backhand* infernal.

Ele ficou um tempo sentado no banco sob a colossal figueira-de-bengala que era o ponto central da área do condomínio. Um templo em miniatura havia sido construído no tronco da árvore. Durante a noite, moradores devotos reuniam-se para rezar e acender diyas, uma espécie de lamparina a óleo. Um recente acontecimento perturbador – bom, perturbou Chopra, de qualquer modo – era o grupo do "Clube da Risada", que agora se reunia sob a árvore todos os dias. Era impressionante observar os idosos e idosas – que, até então, ele via como tipos sérios e sisudos – com as mãos nas laterais da barriga, rindo como se fossem morrer disso.

Hoje não havia ninguém.

Fora da Colônia, Chopra caminhou até a quitanda e comprou um quilo de ameixas para Poppy. Um fluxo de pessoas passava. Motocicletas com três ou até quatro indivíduos precariamente equilibrados, como equipes de acrobatas, buzinavam pelo caminho em meio à massa de corpos. Um odor forte saía do esgoto aberto nos dois lados da avenida.

Uma vaca estava deitada no meio da rua. Chopra sabia que ela ficaria lá o tempo que desejasse. Vacas, seres venerados, eram a maldição dos agentes de trânsito de Mumbai.

Enquanto ele comprava as frutas, um bando de jovens da faculdade de computação da região passou. Eles andavam de braços dados, espalhando alegria e risos pelo caminho. Tinham a mesma idade, ele notou, do garoto morto que vira na delegacia.

Chopra se lembrou da mãe do rapaz, do quanto ela estava aflita, de como estava convencida de que não havia ajuda para solucionar a morte do filho de alguém como ela. As acusações da mulher o haviam perturbado particularmente. Quem conhecia Chopra sabia que ele se orgulhava de sua integridade. Sugerir que ele não cumpriria seu dever porque a vítima tinha origens pobres, ou que, de algum modo, faria mais se a vítima tivesse pais abastados era como sugerir que ele não era um homem honesto.

No decorrer dos anos, ele mantivera uma reputação impecável, atendo-se aos princípios que seu pai havia lhe ensinado quando criança.

"Filho", ele disse no dia em que Chopra deixou o vilarejo, como um jovem de dezoito anos, esperando começar em breve o treinamento na academia de polícia em Nashik, "você precisa entender que a Índia é um novo tipo de país. Mesmo que nossa civilização venha de milhares de anos atrás e que esteja toda registrada no Rigveda, nos Upanixades, nos Puranas, o fato inusitado é que temos apenas vinte e três anos e, consequentemente, sofremos das aflições da juventude. Desde que os britânicos cortaram nosso país em pedaços, todos nos sentimos diferentes. Você não se sentiria, se alguém cortasse fora seus braços direito e esquerdo? Na verdade, ainda estamos descobrindo que tipo de nação devemos ser. O único modo de evitar ser vítima dos perigos da confusão é nunca ter dúvidas a respeito do que *você* é. Se você for um homem honesto, como espero que prove ser, nunca permita que as circunstâncias de um momento o façam agir contra sua natureza. É aí que se encontra a ruína de tudo o que você defende".

Chopra pegou um riquixá até a delegacia e foi imediatamente cercado por seus ex-colegas. Houve uma rodada de piadas amigáveis sobre suas vestes casuais e algumas perguntas sobre como estava indo seu primeiro dia como um boa-vida.

— Está indo — ele murmurou. — Só não me perguntem para onde.

Na verdade, Chopra foi pego de surpresa. Por natureza, ele não era um homem sentimental, e, no decorrer dos anos, havia mantido uma distância profissional dos homens sob seu comando. Outros policiais veteranos permitiam que seus subordinados se aproximassem bastante, chegando ao ponto de sair para beber com eles. Mas Chopra não era esse tipo de policial.

Ele sabia que alguns de seus colegas o consideravam um pouco mal-humorado, mas ninguém podia negar sua reputação de excelente oficial da lei e extremamente honesto. Na polícia de Mumbai dos dias de hoje, isso era, de fato, algo de que se orgulhar.

Deixando os homens com seu trabalho, Chopra foi até sua antiga sala e encontrou o policial Surat plantado na frente da porta.

— Olá, Surat. O que você está fazendo aqui?

— Senhor! Que bom vê-lo! — O policial Surat parecia sinceramente aliviado. — Senhor, o novo senhor me pediu para ficar aqui fora e averiguar antes de ele receber qualquer visitante.

Chopra franziu a testa. Ele costumava seguir uma política muito menos formal. Qualquer um de seus homens podia simplesmente chegar e bater em sua porta. Não que muitos deles fizessem isso; sabiam que Chopra era um defensor da cadeia de comando. Mas, falando sério, qual a necessidade de desperdiçar um homem na função de porteiro de luxo?

— Bem, pode dizer ao inspetor que eu gostaria de falar com ele?

Surat deu um sorriso fraco.

— Sinto muito, senhor, mas o novo senhor não vai receber ninguém até as duas horas.

— Ah, ele está em reunião?

— Não, senhor.

— Então qual é o problema? Eu só queria dar uma palavrinha rápida com ele sobre um assunto importante.

— Senhor, o novo senhor deu instruções estritas.

Chopra, que havia conduzido toda a sua carreira na base do bom senso puro e simples, resolveu que aquilo já era demais. Colocou Surat de lado e entrou na sala.

Para sua surpresa, encontrou vazia a cadeira atrás de sua antiga mesa. Olhou em volta. Não havia ninguém na sala. Que diabos...? Então, seus olhos encontraram um par de sapatos pretos bem grandes brotando detrás da mesa.

Chopra deu a volta na mesa e encontrou o inspetor Suryavansh deitado de barriga para cima no chão, aparentemente em sono profundo. Optando pela precaução, ajoelhou-se e verificou o pulso do inspetor. Depois, tendo um palpite, ele aproximou a cabeça do rosto de Suryavansh. Instantaneamente, seu nariz se retorceu ao sentir o cheiro de bebida alcoólica.

Chopra levantou-se e saiu da sala.

— Ninguém deve entrar nesta sala até o inspetor mandar — ele disse ao policial Surat, que pareceu aliviado. Então, foi procurar pelo subinspetor Rangwalla.

Encontrou Rangwalla sentado na apertada sala de interrogatórios da delegacia com um homem muito gordo, que usava uma roupa cinza em estilo safari e suava profusamente sob o ventilador de teto.

— Exijo que vocês prendam aquele canalha agora mesmo! — o homem estava dizendo. Para enfatizar, ele bateu nos joelhos com as duas mãos. — O cara fugiu com a minha filha e você fica aí sentado e me diz que não pode fazer nada? Sabe, ele é muçulmano!

Chopra conseguiu resgatar Rangwalla do homem gordo e eles foram para uma das salas dos fundos.

— Diga-me, alguém foi interrogar o pai do rapaz afogado? — ele perguntou.

— Não, senhor — respondeu Rangwalla.

— E por que não?

— Ordem do inspetor Suryavansh. Ele disse que o caso estava encerrado. Afogamento acidental. Fim da história.

— E a autópsia?

— O inspetor Suryavansh disse que não há necessidade de autópsia. Receio que ele tenha revogado suas ordens.

Chopra ficou em silêncio.

— Onde o corpo está agora?

— Está no hospital. Eles vão emitir um atestado de óbito, depois a família poderá retirá-lo para a cremação.

— Mostre-me o panchnama.

Rangwalla hesitou.

— Por favor, não se ofenda, mas o senhor não é mais da polícia. Por que quer se envolver com isso?

Chopra hesitou antes de responder. Ele já tinha visto muitos cadáveres no curso de sua carreira. Mas talvez esse fosse o último que ele veria, pelo menos como policial. Aquilo o tornava significativo de alguma forma, ele sentia.

— Rangwalla, nós concordamos em nos envolver no dia em que fizemos nosso juramento. Com ou sem uniforme, sempre estaremos envolvidos. Além disso, estou apenas fazendo algumas perguntas. Não é como se eu tivesse alguma coisa mais urgente para resolver.

Quando ele saiu da delegacia, pouco tempo depois, estava com uma cópia do panchnama no bolso da calça.

Chopra pegou um riquixá até Marol Village. Como sempre, a região estava cheia de vida. Era uma comunidade pobre, mas não uma favela. Os moradores eram, em sua maioria, católicos com raízes goanas; a comunidade católica de Mumbai era pequena, porém participativa, e se orgulhava de seu senso de ordem cívica. As casas, embora pequenas e amontoadas umas às outras, eram bem cuidadas e pintadas com cores vibrantes.

Chopra desceu perto do endereço do primeiro indivíduo listado no panchnama. Quando bateu na porta, um homem baixo e corpulento de bermuda azul e camiseta regata branca apareceu na entrada. Ele tinha a pele muito escura, bigode preto e uma tatuagem reveladora da Cruz na parte de dentro do pulso.

— Pois não?

— Você é Merwyn De Souza?

— Sou. O que você quer?

— Eu sou o inspetor Chopra — disse ele, mostrando uma cópia do panchnama. — Eu gostaria que o senhor me levasse ao local onde o corpo do rapaz morto foi encontrado há dois dias.

De Souza concordou prontamente em ajudar. Ele não tinha mais nada para fazer mesmo, pois havia sido recentemente dispensado de seu emprego no abatedouro local, onde trabalhava há dez anos.

— O senhor está com roupas comuns? — ele perguntou. — Como um agente do Departamento de Investigação Criminal?

Chopra não respondeu.

Eles percorreram a estrada ao longo da tubulação, passando pela feira e pela escola do Convento Santa Maria. Uma pintura de um Jesus loiro de olhos azuis olhava do muro do convento para o trânsito com uma expressão de sofrimento benigno. Duas freiras de hábitos azuis conversavam no portão do convento.

— Boa tarde, irmãs — disse De Souza, fazendo o sinal da cruz.

Eles passaram por um homem fritando *chips* de banana na beira da estrada. De Souza insistiu que parassem para comprar um pouco.

— Ragu, esse é o inspetor Chopra, um bom amigo meu. Estamos trabalhando juntos em um caso muito importante. Você se lembra do corpo que encontramos anteontem?

Os olhos de Ragu se arregalaram com interesse enquanto virava os *chips* fritos no óleo reaproveitado da frigideira envelhecida. A frigideira estava sobre um botijão de gás acomodado dentro de um carrinho de mão.

— O rapaz que se afogou na merda?

— Isso mesmo. Uma coisa horrível.

Um mendigo pálido parou para se coçar e ficou olhando fixamente para os *chips*. De Souza gritou com o homem, que, à maneira dos pedintes de Mumbai, simplesmente o ignorou. O mendigo se aproximou.

— Chefe, me dê alguns *chips*. Não como há três dias.

Ragu levantou a concha de maneira ameaçadora.

— Dê o fora daqui. Não está vendo que estou servindo o inspetor sahib?

— O inspetor sahib parece já ter comido bastante — disse o mendigo.

Chopra conteve um sorriso. A maioria dos mendigos da cidade eram indivíduos submissos e abatidos, intimidados pelos ataques implacáveis da extrema pobreza. Esse homem parece ter resolvido não assumir o papel que lhe fora designado pelo destino.

Chopra comprou uma porção de *chips* para o pedinte. De Souza ficou olhando para ele. Em Mumbai, havia tantos mendigos que praticamente compunham uma subpopulação. Dar de comer a um deles era considerado um ato de imprudência, normalmente cometido apenas por turistas confusos.

Depois de alguns minutos, eles saíram do Village e foram para o terreno aberto mais à frente.

Em meio a um emaranhado de vegetação, entraram na área onde a tubulação – um cano de concreto de mais de um quilômetro e meio para escoamento do esgoto – terminava. O chão estava úmido devido à água infiltrada. O nariz de Chopra se contorceu com o extremo mau cheiro no ar. Excrementos humanos, ele se deu conta.

— Aqui — disse De Souza, conduzindo Chopra ao redor de um amontoado de lixo, até onde se formava uma poça rasa de água. Alguns porcos que chafurdavam na sujeira levantaram os olhos para Chopra com interesse.

Ele olhou em volta, pegou um galho do chão e se inclinou para enfiá-lo na poça de água parada. Mosquitos saíram voando da superfície e zuniram perto de seu rosto.

Ele tirou o galho e olhou para a marca da água.

— Quinze, vinte centímetros — murmurou. Seria muito difícil um homem, até mesmo um muito embriagado, afogar-se em vinte centímetros de água.

— Quem encontrou o corpo?

— Eu mesmo — disse De Souza, sentindo-se importante.

— O que você estava fazendo aqui?

— O banheiro da minha casa não está funcionando.

— Muitas pessoas usam esse lugar?

De Souza deu de ombros. O que seriam "muitas pessoas" em Mumbai?

— E o senhor disse que encontrou uma garrafa vazia de uísque perto do corpo?

— Quase vazia — disse De Souza. — *Black Label*.

— Esse uísque é muito caro.

— É — De Souza sorriu. — Importado.

Como um rapaz pobre pôde comprar uma garrafa tão cara de bebida?, pensou Chopra.

— Você viu mais alguma coisa… fora do comum?

— O que quer dizer com "fora do comum"?

Chopra não sabia o que pretendia dizer com aquilo, mas estava com uma sensação familiar, que aumentava cada vez mais. Era uma sensação que surgia sempre que ele estava trabalhando em um caso e sabia que havia algo errado, mesmo sem conseguir indicar exatamente o quê.

— *Xô!* — gritou De Souza de repente, quando um dos porcos fuçou sua sandália, sendo recompensado com um forte chute. O porco foi embora, guinchando com indignação.

Chopra começou a rodear a poça d'água em círculos concêntricos cada vez maiores, observando o solo com atenção. Depois de algumas voltas, ele se ajoelhou atrás do toco podre de uma árvore. O solo estava mais seco ali, mas havia umidade suficiente para revelar as marcas de um par de pneus. Ele passou os dedos no desenho incrustado. Uma motocicleta havia parado ali.

Quem traria uma motocicleta para esse lugar?

Chopra tentou estimar a profundidade da marca. Seus anos como subinspetor, quando esteve diretamente envolvido com o dia a dia da investigação, diziam-lhe que havia duas pessoas naquela moto, uma delas bem pesada. Será que o rapaz estava na moto?

Ele se levantou. Havia outro mistério ali, que ninguém parecia ter levado em conta. O que o rapaz estava fazendo aqui? Ele era morador de Marol; por que precisaria usar esse local como banheiro? Havia uma epidemia de banheiros com defeito na região? Chopra considerou a suposição "improvável".

Ele refletiu sobre outros cenários que poderiam ter trazido o rapaz para esse local.

Talvez estivesse com um amigo? Será que estavam bebendo e tiveram que usar o banheiro de repente? Será que o rapaz sugeriu que usassem esse lugar, talvez não querendo entrar na própria casa embriagado, com um amigo bêbado a tiracolo? E depois o quê? Um afogamento acidental,

Rangwalla havia dito. Mas se o amigo estivesse se afogando, a outra pessoa não ajudaria? Ou ele também estava bêbado demais? Mas se ele estava tão bêbado, como foi embora guiando a moto? E por que não chamou uma ambulância ou a polícia?

Muitas conjecturas, pensou Chopra. Muitas perguntas sem resposta.

HOMI NO HOSPITAL

Do Village, Chopra pegou outro riquixá, dessa vez para o hospital Sahar.

Chegando lá, entrou pelos corredores lotados, que sempre o faziam lembrar do tipo de caos ordenado que se via em um motim, e desceu até o subsolo, onde encontrou seu velho amigo Homi Contractor, médico-cirurgião.

Homi Contractor era o médico-legista da polícia, baseado no hospital. Em meio a seu trabalho como proeminente cirurgião cardíaco, Homi também ocupava vários outros cargos na prefeitura de Mumbai. Como descendente da famosa dinastia Contractor – cujos inúmeros atos filantrópicos haviam levado ao erguimento de uma estátua de bronze do seu avô, o capitão Rattanbhai Framji Contractor, no jardim de recuperação do hospital –, Homi havia sido a escolha óbvia para a cobiçada posição de chefe do departamento de cardiologia e cirurgia cardíaca da faculdade de Mumbai, um cargo que ele atualmente exerce com pulso tirânico.

Fora do trabalho, Homi era igualmente diligente, um pai devoto e autoritário de quatro filhos, primeiro membro do conselho do clube de ciclistas Parsee– o renomado bastião das mais antigas tradições do críquete de Mumbai – e um crítico radical e declarado da dinastia Nehru.

Chopra sempre se perguntou como seu velho amigo encontrava tempo para realizar autópsias para as três delegacias sob o comando do CAP Suresh Rao.

O próprio Chopra conhecia Homi há mais de vinte e cinco anos. Era homem de uma alegria sinistra e um senso de humor macabro, que frequentemente empregava quando estava mergulhado até os cotovelos nos órgãos internos de um cadáver.

— Você me deve dez paus, Chopra — ele disse com rispidez quando Chopra entrou em sua sala.

Não pela primeira vez, Chopra achou que a volumosa barriga de Homi não combinava com seu rosto fino, pálido e abatido. Parecia que ele tinha enfiado um travesseiro sob o jaleco branco. O largo nariz ficava sob uma massa de cabelos acinzentados e crespos e suas sobrancelhas grisalhas lembravam os abutres que comiam os cadáveres dos pársis na Torre do Silêncio em Malabar.

Homi havia apostado com Chopra que Sachin Tendulkar não completaria a centena de corridas. Sachin havia sido eliminado na corrida de número noventa e nove aquela manhã mesmo. Homi era o único homem da Índia que ousaria apostar contra Sachin.

— E como está indo essa coisa de aposentadoria? — ele perguntou.

Eles trocaram gracejos, e então Chopra foi direto ao ponto.

— Você estava com um corpo proveniente da minha delegacia, um jovem encontrado em Marol, possível afogamento.

— Qual é o nome dele?

— Santosh. Santosh Achrekar.

— Achrekar, Achrekar... Sim, eu sei qual é. Ele está lá embaixo, no necrotério. O caso de afogamento acidental. Acredito que Rohit terminou de examiná-lo há apenas uma hora. — Rohit era o jovem assistente de Homi, um legista recém-formado que costumava lidar com os casos mais simples e com as generosas chicotadas da língua ácida de Homi.

— Vocês fizeram autópsia?

— Autópsia? Para quê? O pedido da delegacia não solicitava nenhuma autópsia.

— *Eu* estou solicitando.

Homi olhou pensativamente para o rosto de Chopra.

— O que está acontecendo, velho amigo?

— Eu tenho um palpite.

Homi sacudiu a cabeça cinzenta.

— E quem é Homi Contractor, um mero mortal, para questionar os palpites do grande inspetor Chopra?

— *Ex*-inspetor Chopra. — Ele hesitou. — Você não precisa fazer isso. Eu entenderia.

— Não seja besta. Me dê um dia. Terei alguns resultados para você amanhã. Só que, se eu tiver que mandar amostras para análise no laboratório, eles vão me cobrar. Sem um pedido da delegacia, ficaria um buraco na papelada.

— Eu preferiria que a delegacia não soubesse sobre isso por enquanto.

— As taxas ainda terão que ser pagas.

— Eu pago.

Homi apertou suas bochechas, um velho hábito que tinha. Por um instante, parecia que ia dizer alguma coisa, mas simplesmente assentiu.

— Certo. Certo. Pode me ligar amanhã. Agora, diga: ainda tem tempo em sua agenda lotada para ir ao estádio de Wankhede mês que vem para o *One Day International* com o Paquistão?

— Homi — disse Chopra, sorrindo —, tempo é só o que eu tenho agora.

Quando Chopra saiu do hospital, seus pensamentos voltaram-se para expressão que vira no rosto de Homi ao se despedirem. Ele podia praticamente ler os pensamentos do amigo. Seria assim quando Homi também se aposentasse? Como Chopra, ele era um homem devotado ao seu trabalho. Será que voltaria ao hospital sem seu jaleco branco para tentar descobrir coisas sobre o novo encarregado de seu cargo, tornando-se uma chateação enquanto os mais novos riam dele pelas costas?

Não, isso não era justo, pensou Chopra. Ele tinha certeza de que ninguém jamais havia rido de Homi ou dele próprio. Não achava que começariam agora.

COMO O INSPETOR CHOPRA
CONHECEU POPPY

Quando Chopra chegou em casa, descobriu que as crianças haviam ignorado sua proibição. O pequeno elefante ainda estava jogado em um canto, desanimado, ao lado do poste ao qual havia sido acorrentado. Um colar de flores de lótus havia sido amarrado em seu rabo. Alguém tinha enfiado uma coroa de papel em seu crânio saliente. Chopra notou que a intenção era deixá-la parecida com a coroa filigranada que costumava adornar as imagens de Lorde Ganesha. Sobre uma bandeja prata ao lado da comida do elefante, ainda intacta, havia uma pirâmide de cocos.

— Bahadur! — Chopra, irritado, chamou. — Achei que havia dito que não era para deixar as crianças mexerem com o elefante.

— Não foram crianças, senhor! — Bahadur respondeu com voz trêmula. — Foi a dona Poppy.

Chopra sentiu uma onda de irritação. Era mesmo capaz de Poppy transformar a pobre criatura em um objeto de devoção! E então lhe ocorreu que ficaria muito mais difícil a Sra. Subramanium expulsar um deus do condomínio do que um mero elefante. Poppy sempre arrumava um jeito de ser mais esperta do que ele imaginava; muitas vezes, ele pensava que compreendia completamente a esposa, mas depois descobria que ela, de alguma forma, havia confundido suas suposições.

Ele sacudiu a cabeça arrependido. Eles já estavam casados há vinte e quatro anos. Quem imaginaria isso? Certamente não ele, no dia em que a viu pela primeira vez.

Tinha vinte e sete anos na época, já era inspetor-assistente, e voltava a seu vilarejo depois de um intervalo de quase três anos. Enquanto caminhava ao longo do rio, o mesmo rio perto do qual fora pego quando mais jovem, espiando as moças que ali brincavam, ele passou por ela, vindo pelo outro lado. Ela estava na companhia de sua irmã, que Chopra reconheceu como a filha mais velha de Dinkar Bhonsle, sarpanch do conselho do vilarejo.

Parou para cumprimentá-las, e notou que a bela garota fingiu não estar interessada nele, mesmo que ele estivesse no melhor de sua elegância, com brilhantina nos cabelos, o bigode encerado e usando seu uniforme cáqui recém-passado. Sua irmã – uma senhora casada com três filhos e olho clínico para bons partidos – ficou muito mais impressionada, e insistiu que ele fosse jantar na casa delas enquanto estivesse no vilarejo.

Ele não foi.

Em vez disso, depois de fazer algumas investigações com sua família, pediu para o seu pai arranjar o casamento com a garota. Ele havia descoberto que seu nome era Archana, tinha dezoito anos, era chamada de Poppy pelos amigos devido ao hábito de estar sempre comendo sementes de papoula – *poppy* em inglês – e obtivera o diploma do ensino médio na segunda tentativa. Na verdade, como acontecia com todas as crianças do vilarejo, o pai de Chopra havia sido seu professor.

Shree Premkumar Chopra se formou na Universidade de Mumbai em 1947, apenas alguns meses antes das traumáticas sublevações da Partição. Após trabalhar alguns anos na cidade grande, ele acabou resolvendo voltar para casa e assumir a pequena escola do vilarejo, onde ele próprio havia recebido sua educação de base. Desde então, passou a ser chamado de Masterji, um termo que denotava enorme afeição e respeito.

Assim, quando Masterji pediu em casamento a mão da filha mais nova de seu bom amigo Dinkar Bhonsle para seu filho mais novo, um belo e jovem policial que vivia na cidade de Bombaim, atual Mumbai, com uma renda mensal de não menos que mil e cem rupias, não houve motivo para recusa. Os dois velhos amigos ficaram eufóricos por se unirem como família.

No decorrer dos anos, Chopra sempre se perguntou como seria sua vida se ele não estivesse andando à margem do rio no momento exato em que Poppy e sua irmã passavam. Sem dúvida ele teria ido embora do vilarejo sem conhecê-la e, quando voltasse, ela já teria se casado e se mudado de lá.

Ele não conseguia imaginar sua vida nas últimas décadas sem Poppy. Havia se casado por amor; isso era verdade, embora certamente não admitisse. Ele receava, devido à beleza da mulher e ao fato de ser um tanto quanto mais nova que ele, que ela pudesse não apreciar um marido com as qualidades simples que ele tinha a oferecer, como honestidade, integridade, consideração. E quando descobriu que sua esposa era uma romântica extravagante, muitas vezes volúvel, temeu que ela talvez desejasse um herói vistoso como os astros dos filmes masala de Bollywood de que tanto gostava, um Amitabh Bachchan talvez, ou um belo Vinod Khanna. Mas Poppy provou ser uma esposa devota e, apesar de seus problemas, eles desfrutaram da companhia um do outro durante todos esses longos anos.

Pensar naquilo fez Chopra se lembrar de Shalini Sharma, e ele sentiu uma dor repentina florescer em seu peito.

Chopra suspeitava que, depois que se aposentasse, precisaria de algo novo como fonte de inspiração, e era por isso que tinha comprado o velho bangalô na Guru Rabindranath Tagore Road. Era por isso que ele havia empregado uma arquiteta e um empreiteiro para trabalharem na obra. Era por isso que ele estava se encontrando com a adorável Srta. Shalini Sharma a cada quinze dias, no Hotel Sun-n-Sand, em Juhu. Ele se sentia terrivelmente culpado com tudo aquilo; passava mal só de pensar no que aconteceria se Poppy descobrisse seu segredo antes que estivesse pronto para dar a notícia a ela.

— *Subhan'Allah, Chopra Miah, subhan'Allah!*

Chopra se virou e viu Feroz Lucknowwallah quase em cima dele, trazendo a tiracolo seu bom amigo Vikram "Vicky" Malhotra.

Feroz e Vicky dividiam um apartamento no décimo quinto andar, o que os tornava vizinhos de Chopra. Feroz, um varapau de cavanhaque e um punhado de cabelos pretos desgrenhados, era poeta, aficionado pela língua urdu e devoto do famoso mestre de gazel Mirza Ghalib. Era também um célebre bêbado. Vicky Malhotra, bonito de uma forma jovial, com o rosto totalmente barbeado e corte de cabelo da última moda, era um ator que interpretava um pequeno papel em um seriado famoso, enquanto aguardava sua grande chance em Bollywood.

Feroz e Vicky entravam frequentemente em atrito com o livro de regras da Sra. Subramanium; suas festas barulhentas, que adentravam a madrugada e costumavam envolver Feroz e seus amigos bêbados em competições de poesia, enquanto Vicky tocava tabla para acompanhar, às vezes irritavam Chopra. Mas Poppy protegia muito os dois jovens, insistindo que deixassem florescer seu "temperamento artístico". Eles acrescentavam cor ao prédio, com isso ele concordava.

— Que ótima ideia, Chopra Miah! — continuou Feroz, com entusiasmo. — Um elefante no pátio! Os gazéis já estão aparecendo na minha cabeça, juro por tudo.

— Ele parece totalmente deprimido, yaar — disse Vicky. Ele riu como se aquilo fosse a coisa mais engraçada do mundo.

Chopra ajoelhou-se ao lado do pequeno elefante e removeu a coroa de papel. Quanto tempo um elefante podia ficar sem comer?, pensou.

E bem ali estava o problema, todo ele. Ele *não sabia*. Não sabia nada sobre elefantes. Não havia nenhum em seu vilarejo. Só tinha visto alguns em Mumbai. Ele se lembrava de um, na praia de Juhu, que levou crianças para passear durante muitos anos, até que aquilo se tornou ilegal. E o zoológico de Byculla tinha dois, um macho e uma fêmea. De vez em quando, via-se algum vagando pelas avenidas abarrotadas de Mumbai, com um cornaca nas costas, transportando carga pela cidade. Mas aquilo estava ficando cada vez mais raro… Como o tio Bansi pôde ter feito isso com ele?

Quanto mais Chopra pensava sobre isso, mais ele se perguntava por que seu tio o havia escolhido para aquela tarefa tão ingrata. Por que não seu irmão mais velho, Jayesh, que, de acordo com as antigas regras da primogenitura, havia permanecido no vilarejo para assumir a propriedade da família? Jayesh era um homem da terra; ele tinha bois, tinha vacas, saberia o que fazer com um elefante. No mínimo, não teria problemas para abrigar a pobre criatura, e certamente não teria que lidar com nenhuma Sra. Subramanium.

A ideia da megera afiando as garras provocava azia em Chopra, e ele decidiu voltar ao seu apartamento para um merecido descanso.

Depois do jantar, Chopra desceu para ver novamente como estava Ganesha. O bebê elefante ainda não havia comido nada. Até mesmo virara a tromba para longe de um feixe de brotos de bambu que algum morador atencioso havia deixado para ele, e que Chopra ficara sabendo ser uma verdadeira iguaria para os paquidermes. Ele sentou perto da pequena criatura e tentou imaginar como ela devia estar se sentindo, arrancada de seu lar, independentemente de onde fosse, trazida para esse lugar estranho e barulhento, repleto de visuais, sons e cheiros curiosos. E pessoas, tantas pessoas! Não era de se estranhar que a pobre criatura estivesse traumatizada.

Chopra releu a carta de seu tio, tentando compreender o mistério do estranho presente. Qual era a história de Ganesha? E por que seu tio dizia que ele não era um "elefante comum"?

O inspetor (aposentado) Chopra foi para a cama aquela noite nem um pouco mais perto das respostas para aquelas questões perturbadoras.

O sono demorou para chegar. Sua cabeça estava cheia de pensamentos acerca de sua aposentadoria. Para evitar a infelicidade que tais elucubrações traziam, acabou concentrando-se na morte de Santosh Achrekar. Parte dele esperava que a autópsia de Homi encerrasse a questão. Mas outra parte, a parte subversiva de sua alma que se recusava a acreditar que ele não era mais policial, secretamente esperava que a análise pudesse revelar as provas de um crime.

Chopra ainda não tinha ideia do que faria se aquilo realmente acontecesse.

Ele finalmente adormeceu, ainda se revirando ao considerar todas as possibilidades.

UMA VISITA AO ZOOLÓGICO

No dia seguinte, o inspetor Chopra saiu de casa com um estado de espírito determinado, após encarar outro farto café da manhã preparado por Poppy. Colocando de lado todas as outras preocupações, havia decidido que, tendo-lhe sido concedida a confiança de seu tio, ele deveria assumir suas responsabilidades para com o jovem animal que estava sob seus cuidados.

— Para onde você vai? — perguntou Poppy quando Chopra se dirigiu à porta.

— Tenho que resolver umas coisas.

— Era para você estar aposentado. Não precisa resolver coisas. — Ela se aproximou dele. Com a ponta do sári, limpou migalhas de torrada de seu bigode.

— Como está se sentindo?

— Estou me sentindo perfeitamente bem — disse Chopra. Ele sorriu para a esposa. — O que *você* vai fazer hoje?

— Eu vou bater de porta em porta. Quero construir uma base de apoio antes do Comitê Administrativo se reunir. Deixar a Sra. Subramanium sem chão antes que ela possa fazer algum mal ao Ganesha.

Chopra franziu a testa.

— Poppy, não acho que seja uma boa ideia. Por que não deixa as coisas tomarem seu curso?

— Porque a Sra. Subramanium está errada. E mesmo se estiver certa, está errada.

Chopra abriu a boca para responder, mas foi interrompido.

— Ora, não é uma cena tocante? — Poppy e Chopra se viraram e avistaram Poornima Devi arrastando-se de seu quarto. — Tanta preocupação com um elefante e com um homem que me parece tão saudável quanto um elefante. Por que ninguém está preocupado com a minha saúde?

— Porque não há nada errado com a senhora — respondeu Chopra.

— Nada errado comigo? — chiou a velha. — Estou às portas da morte há anos.

— E o que a impede de atravessá-las? — resmungou Chopra em voz baixa.

— Quantas vezes pedi para me levarem a Varanasi para eu poder me banhar nas águas puras do Ganges e ser curada? Mas alguém me ouve? Alguém se importa?

Chopra refletiu que qualquer um que se banhasse nas águas de Varanasi em busca de saúde certamente não havia lido os últimos relatórios do governo sobre poluição. O grande rio estava tão imundo por lá que mesmo os homens santos haviam desistido de imergir em suas águas.

— Vamos levar a senhora em breve, mãe — prometeu Poppy. — Agora que Ashwin está aposentado, ele tem tempo para planejar uma viagem para todos nós.

Chopra fuzilou a esposa com os olhos. Mas ele notou um brilho travesso dançando em seu olhar e aos poucos suavizou sua expressão para um sorriso relutante.

— Ouvi dizer que muitas pessoas velhas vivem por diversos anos em Varanasi, só para poderem morrer na cidade sagrada e obter uma liberação instantânea ao atingir a *mocsa* — ele murmurou. — Talvez pudéssemos deixá-la por lá.

— Mas você sentiria muito a falta dela, querido — disse Poppy docemente. Ela deu outro sorriso travesso e saiu para se arrumar para sua campanha de guerrilha contra a Sra. Subramanium.

Sua primeira parada foi na nova livraria Crossword, em Juhu.

Juhu foi o primeiro bairro residencial rico da cidade. Até hoje, todos os grandes astros do cinema mantinham bangalôs de luxo na região, vivendo lado a lado com os emergentes arrogantes dos mundos do comércio e do críquete. A região tinha uma abundância de novos restaurantes da moda especializados em saladas e cafeterias do tipo em que os jovens se aglomeravam.

E mesmo aqui, Chopra pensou, ao olhar de dentro do riquixá para o palácio de oito andares de um famoso astro de Bollywood, ainda há muitos pedintes reunidos nas esquinas, cães vira-latas com falhas nos pelos vagando em matilhas e montanhas de lixo a céu aberto, um paraíso para moscas e catadores.

A livraria Crossword, uma construção extravagante com fachada de vidro que, para Chopra, parecia uma gigantesca caixa de chocolate amarela, era a maior livraria dos arredores de Mumbai, um empório de cinco andares dedicado à palavra escrita. Apesar de suas próprias reservas, Chopra estava impressionado. Não obstante, as dimensões enormes do lugar o agitavam. Como alguém deveria conseguir encontrar algo ali dentro?

Seu problema foi resolvido por um jovem muito magro que apareceu atrás dele como um fantasma nervoso. Chopra explicou o que queria e o jovem assistente, resplandecente em seu uniforme amarelo, conduziu-o pelo labirinto da loja até a seção correta.

Chopra empurrou os óculos de leitura sobre o nariz e começou a investigar as prateleiras. *Doenças e dieta do elefante asiático; A vida oculta do elefante da floresta no norte da Índia; População e problemas de conservação do elefante asiático....* Ah, tinha que ser esse! *O guia definitivo da vida e dos hábitos do elefante indiano,* do Dr. Harpal Singh.

Só o peso do livro já o tranquilizava. Ele tinha uma capa brilhosa que retratava um espécime magnífico de elefante indiano cercado por uma vegetação exuberante. Na contracapa havia uma foto do Dr. Singh, um espécime igualmente magnífico com um glorioso turbante azul e uma barba desgrenhada e indomada.

Chopra ficou mais confiante. Ali estava um homem que entendia do assunto.

Ele abriu o livro e leu o primeiro parágrafo. "O elefante indiano, *Elephantus maximus indicus*, é o maior mamífero terrestre do subcontinente asiático. O tamanho da espécie varia de 2,5 a 3 metros de altura, e pesa entre 2 mil e 3 mil quilos. Os elefantes indianos são mega-herbívoros e consomem até 150 quilos de matéria vegetal e cem litros de água diariamente. Eles se alimentam tanto de grama como de outros tipos de vegetação...". O capítulo continuava nos mesmos moldes, repleto de informações factuais e de descrições concisas e específicas de todos os aspectos da biologia, genealogia e taxonomia do elefante indiano que alguém pudesse desejar saber.

Depois de um tempo, Chopra voltou à estante, passando os dedos nas lombadas dos outros livros na seção sobre elefantes.

No meio da última prateleira, um volume bem fino, de capa marrom simples, chamou sua atenção: *Ganesha: dez anos vivendo com um elefante indiano*. A autora era uma britânica chamada Harriet Fortinbrass que havia ido para a Índia quando menina, na década de 1920, com o pai, lorde Hubert Fortinbrass, então oficial britânico junto aos nababos da Índia setentrional. Lorde Fortinbrass havia sido um ávido caçador, um verdadeiro aniquilador. Em uma excursão específica, havia matado não menos que dois elefantes machos, um tigre e um par de gazelas.

Um dia ele levou a filha em uma expedição de caça no interior, ao norte. Foi o dia em que lorde Fortinbrass matou uma fêmea de elefante, que morreu enquanto protegia seu filhote recém-nascido. Horrorizada com o massacre sem sentido de uma criatura tão afável, Harriet insistiu em levá-lo para a luxuosa mansão em Faizabad, capital de Oudh na época.

Ao longo dos dez anos seguintes, um vínculo surpreendente se desenvolveu entre a jovem inglesa e seu protegido. "As pessoas falam da majestade do elefante", escreveu Harriet, "de seu grande tamanho e força; mas o que vejo quando olho nos olhos de Ganesha é uma alma, uma ternura e uma inteligência inegavelmente humanas. Dizem que os elefantes, assim como os humanos, são autoconscientes. Eles entendem que existem, que são indivíduos. Um elefante pode aprender a se reconhecer no espelho, do mesmo modo que uma criança humana adquire essa consciência. Como uma criança humana, Ganesha confia irrestritamente em mim. Não se deve fazer nada para quebrar essa confiança, pois uma vez que se perde a confiança de um elefante, ela nunca mais pode ser recuperada. Eles *nunca* esquecem".

Chopra viu-se estranhamente tocado pelas palavras da nobre inglesa.

Harriet acabou deixando a Índia dez anos mais tarde, quando Ganesha contraiu uma misteriosa doença e morreu. O livro dizia que Harriet havia falecido com a bela idade de oitenta e dois anos, uma amante de elefantes e de todas as coisas indianas até o seu derradeiro fim.

Ele pagou pelos dois livros e saiu da loja.

A segunda parada de Chopra exigia que ele pegasse um táxi até a região sul de Mumbai. Não era permitida a circulação de riquixás para além da próspera região de Bandra. O sul de

Mumbai era território das companhias de táxi, que defendiam sua área com fervor.

Chopra desceu no zoológico de Byculla.

Ele não ia àquela parte da cidade há quase vinte anos, desde quando ainda funcionavam na área algumas antigas usinas inglesas – que foram desaparecendo gradualmente como os fumantes inveterados, poluindo o ar ao soltar seus últimos suspiros. O zoológico de Byculla ficava dentro do Victoria Gardens, originalmente construídos pelo abastado comerciante judeu David Sassoon. Na entrada dos jardins ficava a estátua de Eduardo VII montado em "Kala Ghoda", seu cavalo preto, retirado do antigo posto na agitada região de Fort, onde o governo indiano decidiu que ícones dos governantes de outrora não deveriam ser exibidos com tanto destaque.

Ele parece mais feliz aqui, pensou Chopra ao adentrar os jardins.

Dirigiu-se até a administração do zoológico. Um grupo de estudantes barulhentos se aglomerava em volta da bilheteria, enquanto professores de aparência atormentada tentavam mantê-los reunidos. Chopra deu a volta e entrou na sala da administração.

— O senhor não pode entrar aqui — disse um homem que parecia esgotado e segurava um balde em uma mão e um monte de pastas vermelhas na outra.

— Eu sou o inspetor Chopra — disse ele. — Gostaria de falar com o diretor agora mesmo.

Ele foi levado até a sala do diretor, onde lhe pediram que aguardasse. Do lado de fora, o barulho dos alunos ia diminuindo, à medida que se encaminhavam ao interior dos jardins.

O diretor chegou, um homem pequeno de olhos tristes rodeados por olheiras escuras, como os de um lêmure, e sobrancelhas muito grossas.

— Meu nome é Rawjee. Como posso ajudá-lo, inspetor?

— Quero saber sobre elefantes — respondeu Chopra.

Rawjee ficou olhando para ele preguiçosamente e depois disse:

— Eles são grandes. São perigosos. Não simpatizam muito com estranhos. O que mais deseja saber?

Chopra não disse nada. Olhou em volta da sala. Estava entulhada e tinha uma aparência desgastada, assim como seu ocupante. Gaveteiros para arquivo ocupavam boa parte do espaço, além de pilhas de papéis mal equilibrados. A pintura já havia descascado em vários pontos, como se as paredes estivessem sofrendo de uma infecção. Havia um ar geral de negligência.

— O zoológico não é mais tão popular como costumava ser — disse Rawjee, notando o olhar examinador de Chopra. — Hoje em dia existem tantas outras distrações, shoppings, salas de cinema e outras coisas do tipo. Quem quer vir ao zoológico? —suspirou. — Acompanhe-me. — Ele empurrou a cadeira e conduziu Chopra até o zoológico.

Eles passaram pelo cercado dos crocodilos, a área dos nilgós, os grandes antílopes indianos e as jaulas dos macacos, onde os alunos riam e faziam caretas para os primatas, que guinchavam e balbuciavam com uma fúria incandescente. Chopra notou que as jaulas, em geral, estavam malconservadas, repletas de garrafas plásticas vazias, pacotinhos de gutka e restos de alimentos estragados.

Eles chegaram à área dos elefantes, onde Rawjee o instruiu a esperar. Depois deu meia-volta e saiu se arrastando.

Chopra se aproximou das grades enferrujadas da área cercada.

Lá dentro havia dois elefantes indianos adultos com as características manchas rosadas em volta dos olhos e das orelhas. A placa no cercado dizia que eles se chamavam Shah Jahan e Mumtaz. Pareciam cansados e velhos demais para carregar os nomes dos lendários amantes reais, ele pensou.

— Por favor, afaste-se, sahib.

Chopra se virou. Um homem pequeno que usava bermuda cáqui e uma camiseta regata branca esfarrapada se aproximou do cercado.

— No ano passado, esses dois mataram um homem.

Chopra se lembrou da confusão. Um homem bêbado havia entrado no cercado pela área gramada dos fundos. Lá dentro, começou a cantar a plenos pulmões. A fêmea do casal de elefantes envolveu o homem com a tromba, ergueu-o e o bateu contra a parede. Depois, os dois elefantes coléricos pisotearam o homem até matá-lo. Além de tudo, o macho perfurou o pobre infeliz com suas presas.

O nome do funcionário do zoológico era Mahi, um ex-cornaca que agora trabalhava como tratador no zoológico. Era uma testemunha viva dos perigos de se trabalhar com animais. Havia perdido três dedos da mão esquerda devido a uma mordida de tigre, sua orelha tinha sido mastigada por um macaco langur enraivecido e ainda andava mancando por ter fraturado o quadril, muitos anos antes, ao ser empurrado por um elefante adolescente.

— Eles não têm noção da própria força — ele disse, sem rancor.

Chopra explicou que gostaria de saber como cuidar de um elefante. Mahi olhou para ele com interesse renovado. Perguntou se a polícia agora usaria elefantes da mesma forma que usava cães. Depois, Chopra perguntou para onde alguém deveria levar um bebê elefante que precisasse de um lar. O zoológico acolheria um animal como esse? Mahi fez que não com a cabeça.

— O senhor teria que perguntar ao diretor sahib. Mas acho que ele vai dizer não. O zoológico não tem dinheiro. Não podemos arcar com os custos de mais um elefante. Elefantes precisam de muitos cuidados

Naquela noite, o inspetor Chopra se trancou em seu escritório para aprender sobre elefantes. Depois de ler o texto mais técnico do Dr. Harpal Singh e o relato mais pessoal de Harriet Fortinbrass, e se lembrando do conselho dado por Mahi, do zoológico, ele construiu uma imagem em sua mente do que significaria cuidar da criatura que lhe havia sido deixada como herança pelo tio... "O elefante", escreveu o Dr. Singh, "recebeu status de mítico em certos lugares, em grande parte devido à associação do animal com o deus indiano Ganesha. Esse status leva à projeção errônea de habilidades sobrenaturais e antropomórficas sobre o animal. A verdade é que elefantes não passam de mamíferos terrestres muito grandes. Carne, sangue e ossos. Além de seu tamanho, não há nada muito especial nos elefantes".

"Elefantes são únicos", escreveu Harriet Fortinbrass. "Quando Alexandre, o Grande, chegou às margens do rio Hidaspe para enfrentar o rei indiano Poro, seus homens ficaram tão espantados quanto horrorizados mediante a legião de elefantes que se lançou em batalha contra eles. Eles retornaram à Ásia Menor com histórias a respeito dessas lendárias feras. Instintivamente, se deram conta de que elefantes são algo muito mais grandioso do que meros animais".

Em particular, Chopra estava em busca de alguma pista do que afligia atualmente seu protegido. "Um elefante", escreveu o Dr. Singh, "não tem predadores naturais. Consequentemente, pode-se deduzir que os elefantes não conhecem o significado do medo". "Elefantes", escreveu Harriet Fortinbrass, "são criaturas emotivas. Eles exibem sinais de felicidade, contentamento, ansiedade e medo. Deve-se sempre estar atento a isso. Os indianos falam de uma condição que chamam de 'musth', que ocorre quando um elefante se torna incontrolável, muito parecido com um humano embriagado. A causa dessa condição é desconhecida".

Havia uma quantidade extraordinária de doenças e distúrbios que podiam acometer um elefante, Chopra descobriu. De doenças terríveis como febre aftosa e varíola de elefante a outras mais familiares aos humanos, como antraz, raiva e tuberculose. Elefantes eram suscetíveis a pneumonia, artrite, complicações intestinais, infecções nas presas e nas unhas, problemas de pele de todos os tipos e a uma série de lesões musculoesqueléticas devido a seu gigantesco tamanho. Elefantes eram atormentados por moscas varejeiras, lombrigas, larvas, tênias, carrapatos, ácaros, pulgas, trematódeos e nematódeos. Chopra aprendeu que apatia e uma postura curvada eram sinais de saúde debilitada. Ao contrário, abanos constantes da orelha e agitação do rabo eram sinais de boa saúde. Chopra aprendeu que elefantes podiam até mesmo sofrer de complicações cardíacas derivadas da idade avançada, exatamente como os humanos!

Quando finalmente foi para a cama, a cabeça de Chopra estava repleta de imagens de elefantes; elefantes trombeteando, elefantes comendo, elefantes se banhando, elefantes andando em manadas pela floresta. Os elefantes até mesmo invadiram seus sonhos. Ele sonhou com Ganesha já adulto, enorme, enrolando a tromba sobre a cintura de Chopra, erguendo-o e batendo seu corpo repetidamente contra o muro do condomínio, enquanto Bahadur assistia, aplaudindo, e Poppy entoava um tradicional cântico ao Lorde Ganesha "Ganpati bappa morya!".

Ele acordou ensopado de suor e passou o resto da noite olhando para o teto e ouvindo o zunido do ar-condicionado, que parecia quase tão alto quanto as batidas de seu coração.

O RESULTADO DA AUTÓPSIA

—Venha até aqui. É melhor conversarmos pessoalmente.

Chopra desligou o telefone e, pensativo, alisou o bigode. Não era do feitio de Homi ser tão misterioso. Ele era, afinal, conhecido por seu jeito franco e sem rodeios. De qualquer forma, o resultado da autópsia tinha saído.

Chopra terminou de tomar seu café da manhã, outra refeição enorme. Deu tapinhas na barriga.

— Se continuar assim, logo estará casada com um homem muito gordo — ele disse, apenas parcialmente brincando.

— Sim, sim — disse Poppy, enquanto mexia na chaleira que estava no fogão. Chopra sentiu-se frustrado, como um mágico que não conseguiu surpreender a plateia com seu melhor truque. Poppy vinha agindo de forma estranha desde que voltara da casa de sua prima Kiran, na noite anterior. Não era do seu feitio ficar tão distraída perto dele. Ela tendia a tratá-lo com zelo demasiado, fazia isso desde o dia em que se casaram. Embora Chopra nunca tenha admitido que gostava dessa atenção – ele simplesmente não sabia com que palavras expressar o que sentia, mesmo que quisesse–, ele imediatamente sentia falta daquilo nas raras ocasiões em que Poppy se concentrava em qualquer outra coisa. Perguntava-se se ela havia encontrado mais uma de suas infindáveis causas pelas quais lutar – talvez sua batalha contra a Sra. Subramanium por causa de Ganesha.

Antes de sair para encontrar-se com Homi, Chopra conferiu mais uma vez como estava o elefantinho. Ele ficou animado por ver que Ganesha tinha se aliviado durante a noite. Reconhecia que era um *pequeno* monte de estrume, mas pelo menos era um sinal de progresso.

No entanto, quando falou com Bahadur, descobriu que o elefante ainda não tinha comido nada.

Chopra se agachou perto do monte de estrume. Espantou as moscas, ajoelhou-se, aproximou o rosto e deu uma bela cheirada, como aconselhava o livro do Dr. Harpal Singh.

Bahadur observou a cena com grande interesse.

De todos os moradores da Colônia, o inspetor Chopra era o que ele mais admirava.

Às vezes, quando estava à toa, sentado em sua cadeira perto dos portões do condomínio, ele sonhava em se tornar um policial. Um herói como Shashi Kapoor em *Deewaar* ou Amitabh Bachchan em *Shahenshah*, derrotando dezenas de bandidos com os próprios punhos e resgatando a heroína, com quem, então, faria um romântico número de dança.

Chopra se levantou. O que, em nome de Deus, estava fazendo? Que ridículo devia parecer, um homem adulto cheirando um monte de estrume de elefante! Como é mesmo que se costuma dizer? *Deixe o trabalho para quem sabe.*

Enfiou a mão no bolso e tirou o seu bloquinho. Nele encontrou o número de telefone que tinha conseguido com Mahi, no Zoológico de Byculla. Ele pegou o celular e digitou os números.

— Pois não? — disse uma voz áspera.

— É o Dr. Rohit Lala que está falando?

— Sim.

— Dr. Lala, aqui é o inspetor Chopra e estou com um elefante muito doente que precisa de sua ajuda.

Chopra chegou ao hospital em um riquixá, no instante em que uma ambulância corria a todo vapor para a entrada principal. Dois homens saltaram pela traseira, carregando uma maca onde jazia um corpo ensanguentado e enfaixado às pressas. O corpo parecia estar sem as duas pernas, cortadas abaixo dos joelhos.

— O coitado caiu embaixo do trem — disse um dos enfermeiros ao passar correndo.

Chopra não perguntou como tinha acontecido. Afinal de contas, atropelamentos por trem eram ocorrências corriqueiras em Mumbai.

Ele encontrou Homi sentado no escritório, com o rosto escondido atrás de um lenço ensopado.

— Quarenta e dois Graus centígrados e o ar-condicionado resolve quebrar! — ele reclamou. — Será o verão mais quente já registrado. Mas anote o que digo: quando a chuva chegar, vai ser terrível.

Chopra notou que os olhos de Homi estavam vermelhos. Ele sabia que seu velho amigo gostava de um bom uísque, e frequentemente acordava de ressaca. Mas era um profissional dedicado, e Chopra nunca tinha ouvido nenhuma reclamação sobre seu trabalho.

Ao longo dos anos, trabalharam juntos em uma série de casos de grande repercussão. No começo da amizade, colaboraram no caso do Assassino do Taco de Críquete, um de seus casos mais famosos, que gerou manchetes histéricas nos jornais locais.

O Assassino do Taco de Críquete tinha matado quatro pessoas na região de Sahar, todas espancadas até a morte com o que se revelou ser um taco de críquete. A investigação foi liderada por Chopra, que à época era subinspetor. Após examinar as lascas de madeira retiradas por Homi do corpo de uma das vítimas e o perfil dos hematomas nas lesões causadas pela arma do crime, Chopra conseguiu identificar que os ferimentos haviam sido infligidos por um taco de críquete e delimitar o modelo do taco. Sendo ele próprio um ávido entusiasta do críquete, percebeu que esse tipo específico de taco era muito raro, e só uma loja da região o vendia. Partindo disso, foi uma tarefa relativamente simples localizar o punhado de moradores locais que tinham comprado tal taco. Apenas um desses homens não apresentou o taco para inspeção, e ele logo estava sob interrogatório policial confessando seus crimes.

O motivo do criminoso para cometer os repulsivos assassinatos tinha mais uma vez convencido Chopra de que explicações simples sobre o bem e o mal não bastavam para delimitar o comportamento humano.

O Assassino do Taco de Críquete estava zangado, zangado com as pequenas angústias de sua vida: seu casamento, seu emprego sem futuro, seus filhos indisciplinados e desobedientes. Chopra, ávido leitor de livros sobre criminologia, não acreditava no mal como um conceito humano mensurável, certamente não em nenhum sentido moral ou religioso. Homens como o Assassino do Taco de Críquete eram, para ele, aberrações sociológicas. Algo havia dado errado na forma como entendiam o mundo à sua volta. Não era exatamente loucura, mas também não era sanidade.

Chopra acompanhou Homi até o necrotério do hospital. Eles entraram na câmara refrigerada, de onde Homi tirou o corpo de Santosh Achrekar, deitado em uma gaveta de metal.

Mais uma vez, Chopra sentiu-se estranhamente comovido ao olhar para o rosto do rapaz, outrora belo, e agora uma horrível máscara de cera.

— Vamos começar pelo começo — disse Homi. — Tecnicamente, o rapaz morreu de asfixia, que levou à hipóxia cerebral – ou afogamento, se preferir –, como indicado pela água nas vias respiratórias, no estômago e no pulmão. Uma análise das diatomáceas mostrou que ele estava vivo quando entrou na água. Também encontramos sangue nos pulmões, o que indica que ele se esforçou absurdamente para respirar. Isso é curioso porque, se havia apenas alguns centímetros de água e ele reunia forças suficientes para resistir, eu esperaria que tivesse se levantado e saído da poça.

— Também analisei o sangue, o conteúdo do estômago e os fluidos do rapaz. Realmente, havia uma grande quantidade de álcool em seu organismo. Não há dúvidas de que estava bêbado no momento de sua morte.

— Em segundo lugar, também encontramos drogas na corrente sanguínea. Um coquetel de benzodiazepinas, na verdade. Agora, essa droga não é a favorita nem de usuários desesperados; as benzodiazepinas têm efeito sedativo e hipnótico – ou seja, induzem ao sono. Não há nenhum outro sinal de que o rapaz fosse um usuário regular de drogas.

Chopra olhou, pensativo, para o rosto de Santosh.

— Então — continuou Homi —, ele estava bêbado e possivelmente drogado... E ainda assim, na minha opinião, essa não foi uma morte acidental.

Chopra levantou a cabeça.

— Venha até aqui e me ajude a virá-lo. — Eles colocaram o corpo de barriga para baixo. — Veja aqui — disse Homi, apontando para a parte superior do pescoço do rapaz, logo abaixo da região que delimitava o couro cabeludo. Na pele, que estava ficando acinzentada, Chopra pôde distinguir uma linha desbotada. — Hematomas. Uma mão pesada em volta do pescoço, mantida ali por algum tempo. Um homem forte e destro, eu diria... E aqui, outro hematoma, perto da base da coluna. Minha hipótese é de que tenha sido causada por um joelho, um joelho bem pesado.

Chopra imaginou o rapaz, com o rosto enfiado na água, e um homem grande segurando-o enquanto ele se debatia e se agitava, até que, por fim, suas pernas pararam de se mexer e ele ficou imóvel.

— Também descobri outra coisa, debaixo das unhas dele. Um pouco de pele – que não é do rapaz –, um pouco de sangue e algumas fibras microscópicas.

— Que tipo de fibras?

— Veludo. Vermelho. — Eles viraram o corpo mais uma vez e Homi recolocou o lençol antes de empurrar a gaveta de volta para o lugar.

— Deixe-me construir uma cena. O rapaz e seu amigo saíram para beber. Talvez tenham se drogado também. Estão na estrada quando um deles – digamos que seja o amigo – diz que precisa se aliviar. O rapaz reluta em levá-lo para sua casa; ele não quer que seus pais conheçam um amigo nessas condições. Então, ele o leva até um lugar próximo, um lugar tranquilo que sabe que estaria deserto àquela hora da noite. Naquele lugar, eles se desentendem; há uma briga. O rapaz arranha o amigo, rasga sua camisa, uma camisa de veludo vermelho. Mas o amigo é muito forte. Ele derruba o rapaz na água. Ele o segura submerso até que pare de se mover. E então vai embora.

— Por quê? — sussurrou Chopra.

— Sim, essa é a verdadeira pergunta. Por quê? Foram dois amigos que brigaram por causa de uma garota, uma briga que saiu do controle? Ou colegas de trabalho discutindo sobre algum problema sem importância do escritório? Ou apenas dois bêbados que brigaram porque um deixou o mijo respingar no sapato do outro? Não faço a menor ideia. Mas temo que é aqui que termina o meu trabalho e o seu começa. Ou teria começado, não fosse pelo fato de você agora estar aposentado.

Chopra percebeu que Homi olhava fixamente para ele.

— Não posso simplesmente deixar isso de lado, velho amigo.

— Sim, você pode — Homi disse, sério. — É exatamente o que deve fazer. Vou notificar seu sucessor na delegacia sobre minhas descobertas. Ele vai ter que conduzir uma investigação.

— Ele não vai fazer isso. E, mesmo se fizer, a investigação não vai levar a lugar nenhum — disse Chopra.

— Você não tem o cara novo em alta estima, não é?

Chopra ficou em silêncio por um instante.

— Sabe o que a mãe de Achrekar me disse, no dia em que me aposentei? Ela disse que não haveria justiça para ela. Que não haveria justiça para o filho dela. Eles são pobres. Eles não têm importância.

— Ah, mas você não acredita nisso.

— Não importa mais no que *eu* acredito. Como você disse, estou aposentado.

POPPY TEM UMA IDEIA

A maior decepção da vida de Poppy Chopra era nunca ter tido filhos. Depois de vinte e quatro anos de casamento, ela e o inspetor Chopra ainda não eram pais, e, pelo menos aos olhos de todos, haviam desistido há muito tempo da ideia de formar uma família.

No início, consultaram médicos, alguns dos quais até que razoavelmente bons em seu trabalho. Para o horror de Poppy, eles haviam descoberto que o problema estava nas profundezas do funcionamento misterioso e insondável de seu próprio corpo. Os mesmos médicos haviam sugerido potenciais curas, isso e aquilo e aquilo outro. Mostraram a ela diagramas complicados e explicaram procedimentos técnicos com nomes importantes. Deram-lhe esperanças.

No final, acabaram sendo falsas esperanças.

Quando os homens da medicina falharam, Poppy recorreu à tradição. Ela consultou autoridades mais espirituais como swamis, sadhus e vedjis. Fez peregrinações às tumbas de inúmeros santos. Seguiu o conselho de sua mãe, preparando refeições com muito queijo *cottage* e brotos de alfafa.

Experimentou estranhas poções provenientes de frascos de vidro vendidos por mulheres misteriosas altamente recomendadas por aqueles que supostamente sabiam dessas coisas. E nada havia funcionado.

Era preciso reconhecer que Chopra nunca havia expressado qualquer desapontamento com o fato de Poppy não ter lhe dado filhos, quanto mais um filho homem. Ele nunca a havia culpado ou insinuado que cometera um erro ao pedi-la em casamento tantos anos atrás. Poppy sabia que muitos homens a teriam deixado de lado e procurado uma esposa mais fértil. Mas Chopra não era um desses homens. Era por isso que ela o amava, amava-o mais profundamente do que ele jamais permitiria que ela expressasse. E aquilo apenas confirmava sua crença – formada na noite de núpcias, quando Chopra tratou-a com muita consideração, sabendo que, apesar de toda sua ousadia, ela não passava de uma garota assustada de dezoito anos, prestes a se tornar uma mulher – de que havia se casado com um bom homem.

Em um país em que ladrões e trapaceiros estavam se tornando cada vez mais comuns, particularmente nas esferas mais altas da sociedade, nas quais as pessoas aplaudiam abertamente aqueles que conseguiam ludibriar milhões e se safar, Chopra era um homem que representava tudo o que havia de bom e certo na Índia. Era essa integridade inabalável que Poppy mais admirava. Ela ouvira dizer que todo homem tinha um preço. Não seu marido.

Com o tempo, Poppy aceitou seu destino. "Por que preciso ter meus próprios filhos?", ela falava às amigas. "A Índia é abençoada com crianças. Para todo lugar que se olhe, há crianças. Em meu próprio prédio há tantas que não consigo nem me lembrar de todos os nomes!".

Chegaram a considerar brevemente uma adoção, mas Poppy sentiu que Chopra não estava tão animado com a hipótese. Foi a única vez em que ela ficou chateada com o seu comportamento, mas ele nunca chegou a explicar direito o que achava de tão condenável em acolher um órfão. Ela insistiu no assunto por um tempo, mas acabou desistindo. Já contavam então com dez anos de casados. Na época, ela já não era mais uma garota ingênua de dezoito anos. Havia aprendido que o modo mais fácil de perder um homem era empurrá-lo para um lugar no qual ele não desejasse estar.

Então, Poppy se conformou com uma vida em que nenhum anjinho meigo a chamaria de "mamãe", nenhuma criança chegaria em casa com as roupas todas sujas depois de se jogar na lama das monções com seus amigos, nenhum rapaz lhe provocaria lágrimas de orgulho ao se formar no ensino médio como o melhor aluno da turma.

Às vezes, quando Chopra estava no trabalho e ela sozinha em casa, em um dia sem nada mais para fazer, ela sonhava com seu filho que nunca nasceu, e sentia uma dor bem lá no fundo, talvez no exato lugar em que os médicos diziam estar a causa de sua esterilidade, e lágrimas escorriam por seu rosto. Ela ficava ali parada durante horas, apenas chorando, até que não lhe restassem mais lágrimas. Então levantava, lavava o rosto, reprovava a si mesma pela tolice, relembrava de suas inúmeras bênçãos e preparava a refeição noturna antes de Chopra voltar da delegacia.

As coisas foram assim por mais anos do que ela conseguia se lembrar. E assim como Chopra havia se recusado a condená-la pela ausência de filhos, ela também havia se recusado a permitir que essa falta lançasse sombras sobre a vida deles.

E então, na manhã em que Chopra saiu para aprender sobre elefantes, Poppy recebeu uma ligação de sua prima Kiran Malhotra, que morava ali perto, na abastada região de Bandra.

Kiran e Poppy sempre foram próximas, e suas vidas se espelhavam.

Ambas costumavam se destacar na família pela beleza, ambas foram tiradas do vilarejo para a cidade grande pelos maridos. No caso de Kiran, seu marido era um jovem empreendedor de Panvel que havia recebido um empréstimo bancário para montar uma fábrica de produção de rolamentos em Pune. Como a indústria indiana deslanchou nas décadas de 1980 e 1990, seus negócios haviam prosperado. Depois de um tempo, ele expandiu sua linha e começou a produzir maquinário pesado; abriu um espalhafatoso escritório de vendas em Mumbai e comprou um magnífico casarão em Khar Danda, na região de Bandra, para completar.

Por um tempo, Kiran tornou-se insuportável, empinando o nariz e se gabando do sucesso do marido e da casa nova e sofisticada. Mas Poppy aturava a prima porque sabia que, no fundo, Kiran era uma boa pessoa, e logo perceberia como tinha ficado chata.

Enquanto o riquixá passava pela Carter Road, Poppy olhava com interesse para os casarões que ficavam na região da orla. A mais majestosa de todas, ela sempre lembrava, havia pertencido a seu astro de cinema preferido, Shah Rukh Khan, mas ele tinha se mudado para um lugar ainda mais sofisticado, na região vizinha de Bandra Bandstand.

Multidões caminhavam pelo calçadão, respirando o ar salgado. A Carter Road era um lugar para onde iam todos – corredores obesos com faixas suadas na cabeça, casais tímidos namorando sob as estrelas, crianças pobres brincando de pega-pega sobre as gigantescas estruturas tetrápodes, empilhadas sob o calçadão para enfraquecer a fúria ocasional do mar. O cheiro de peixe secando era forte no ar e cocos quebrados enchiam o asfalto, caídos dos coqueiros que acompanhavam a beira da estrada. No mangue mais abaixo do calçadão, macacos bocejavam, enquanto catadores examinavam o lixo que pessoas descuidadas haviam jogado no mar, que depois voltava e ficava preso em folhas e galhos.

Quando Poppy chegou ao bangalô, encontrou sua prima um pouco aflita. Dava para ver pelo rosto de Kiran que ela estivera chorando – sua maquiagem, normalmente impecável, estava descuidada e borrada. Ela tinha uma beleza natural, e seu rosto oval, colo elegante e pele de porcelana sempre suscitaram uma certa inveja em Poppy. Sua prima podia ter sido estrela de cinema, e com sua altura e corpo esbelto, escolher o traje certo para um evento importante era praticamente irrelevante. Kiran ficava bem com qualquer roupa, mesmo com calças simples e a camiseta amassada da noite anterior, como as que vestia naquele exato instante.

Poppy se deu conta de que aquela era uma ocasião que pedia um bule de seu famoso chá de tamarindo. Expulsou o criado, que lhe lançou um olhar magoado, e preparou o chá ela mesma, servindo-o no conjunto de porcelana importado de Kiran, aquele que ela havia ostentado na reunião de mulheres algumas semanas antes, quando estava mais insuportável do que nunca.

— Conte-me qual é o problema — disse Poppy rapidamente.

— Prarthana! — Kiran choramingou. — É a Prarthana!

Prarthana Malhotra tinha dezesseis anos e havia se transferido recentemente para uma das pomposas escolas internacionais que ficavam em Bandra. Kiran nutria muitas esperanças de que sua filha se tornasse cirurgiã ou, caso não desse certo, que fosse uma modelo. Ela era realmente bonita, tendo herdado a aparência da mãe.

— Pensei que essa escola fosse a melhor coisa para ela. Todos os professores são estrangeiros – você sabe, ingleses, suíços, franceses e afins. Está custando a Anand dez laques por ano! Todos os alunos são filhos e filhas de figurões. Sabe, ouvi dizer que o filho de Ambani talvez se matricule ano que vem. — Por um instante, Kiran ficou radiante, como se a perspectiva de um descendente da dinastia mais rica da Índia estudando na mesma escola de sua filha bastasse para resolver todos os seus problemas. Mas logo seu rosto voltou a escurecer. — O problema começou há alguns meses. Prarthana começou a pedir para dormir na casa das amigas. Eu não gostei, você sabe, mas ela reclamou com o pai. Disse que estava sendo excluída por seus companheiros de classe porque não tinha permissão para fazer as coisas que o pessoal descolado fazia. Bem, você conhece o Anand, ele não quer saber de sua filha ficar para trás. E, depois disso, ela começou a sair à noite. Essa semana foi aniversário da Renoo, e na semana que vem é sei-lá-o-quê da Esha.... Vou dizer uma coisa, é impossível acompanhar!

— Suponho que tenha sido erro meu. Nunca deveria ter dado tanta liberdade a ela, independentemente do que Anand dissesse. Eu devia ter batido o pé. — Kiran parou de falar, e as lágrimas começaram a correr por seu rosto. — Ah, Poppy!

Poppy colocou o braço em volta do ombro da prima e esperou até ela parar de soluçar. Então, Kiran recomeçou:

— Há algumas semanas, comecei a notar uma mudança na personalidade dela. Ela se tornou evasiva e nunca olhava nos meus olhos. Cheguei a pegá-la me contando uma mentira diretamente. E depois, uma manhã, eu a ouvi vomitando com a porta do banheiro fechada. Ela passou a sofrer muitas mudanças de humor. — Kiran fez uma pausa. Sobre a prateleira, um elegante relógio suíço marcava os segundos agonizantes.

— Talvez você esteja errada — disse Poppy com delicadeza.

— Uma mãe sabe, Poppy. Uma mãe sabe.

Bem!, pensou Poppy, pela primeira vez, Kiran não estava fazendo tempestade em copo d'água.

Ela sentiu uma onda de compaixão pela prima.... Que situação horrível, terrível! A Índia estava mudando, a Índia estava brilhando, a Índia era agora um lugar muito moderno – mas ainda existiam algumas coisas que eram sagradas e algumas coisas que eram tabus. Uma filha adolescente, solteira e grávida era a pior coisa que poderia acontecer a qualquer família indiana respeitável.

— E o... pai? — Poppy perguntou com delicadeza.

— Desapareceu! — Kiran disse, chorando baixo. — Ele é filho de um industrial de Juhu. Assim que Prarthana o confrontou sobre o... sobre sua irresponsabilidade, ele foi chorar para o pai figurão. Quando vimos, ele já havia sido tirado da escola e enviado para estudar no exterior.

— É claro que eu fui falar com o industrial, mas ele me disse com muita clareza que, até onde lhe dizia respeito, a questão estava resolvida. Sabe o que ele falou? "Quando um não quer, dois não brigam!". Ah, Poppy, eu fiquei tão zangada que tive vontade de dar duas pancadas na cara dele, bem ali, naquela hora. Mas o que podia fazer? Se tivesse contado para Anand, ele teria ido lá e matado o homem. Você sabe como ele é esquentado.

— E quanto a... — Poppy fez uma pausa, sem saber ao certo como formular a delicada pergunta que queria fazer.

— Não — respondeu Kiran, lendo sua mente. — Minha miserável filha não quer saber disso. Ela diz que não vai deixar ninguém matar uma criança que nem chegou a nascer. Tentei dizer a ela que isso acontece o tempo todo, e pode ser feito de maneira discreta e totalmente segura. Existem tantos médicos que fariam, ninguém nem ficaria sabendo. Ela olhou para mim como se eu fosse algum tipo de assassina em série. São esses filmes ocidentais, Poppy, que enchem a cabeça dela com ideias estrangeiras.

— Mas ela certamente não vai querer *criar* essa criança! — Poppy estava chocada. A ideia de uma mãe solteira em sua própria família era demais para digerir. Seria um escândalo!

— Não. Pelo menos nesse ponto ela tem bom senso. Minha filha tem grandes ambições, e entende que não vai conseguir conquistá-las com um filho para cuidar e um escândalo a persegui-la onde quer que vá.

— Mas, então, o que ela pretende fazer?

— Ela quer dar o bebê para adoção.

Era a vez de Poppy refletir em silêncio.

— Isso significa que ela vai ter que dar à luz. Todo mundo vai saber.

— Não! — exclamou Kiran com veemência. — Ninguém vai saber. Eu tenho um plano. Em alguns meses, quando a barriga começar a aparecer, vou tirá-la da escola. Arranjarei uma carta do meu médico atestando que ela sofre de alguma doença rara e que deve ficar de cama, em repouso, em um local saudável e limpo. Então, vou levá-la comigo para Silvassa por alguns meses. O bebê vai nascer lá e vamos entregá-lo para o Orfanato Sai Baba. No ano que vem, Prarthana vai retomar os estudos, dessa vez em uma escola de minha escolha, um convento só de meninas.

— Mas o que você vai dizer ao Anand?

— Nada — disse Kiran com determinação. — Absolutamente nada. E ele não vai perguntar. Anand está sempre ocupado com seus próprios assuntos. Ele trabalha tantas horas por dia, eu mal o vejo. E neste ano está ocupado instalando a nova fábrica em Délhi. Quase não para em casa. Nem vai notar que Prarthana e eu desaparecemos por seis meses.

Poppy percebeu um tom de amargura na voz da prima. A vida perfeita de que Kiran sempre se gabava talvez não fosse tão perfeita assim, afinal. Mas quem era Poppy para julgar? Todo casamento ocultava suas próprias decepções, suas pequenas provações e tormentos.

O relógio suíço de repente soou, marcando a hora. Uma criada de vestimentas típicas surgiu na parte da frente do relógio, perseguida por um jovem ávido de bermudas de couro e uma vaca confusa... E foi nesse exato instante que a ideia brotou na cabeça de Poppy.

Durante um minuto, ela ficou ali parada, não ousando nem respirar, enquanto a ideia ocupava sua mente, brilhando como uma bola de massa recém-untada com manteiga.

— Tem um outro jeito — ela disse finalmente.

Kiran levantou os olhos em meio a seu sofrimento.

— Que jeito?

Poppy encarou a prima e se perguntou se o que estava prestes a dizer pareceria insano ou inspirado. No final, simplesmente disse, sem rodeios. E depois recostou-se e aguardou o veredito de Kiran.

UMA VISITA À CASA DA VÍTIMA

Depois da visita ao hospital, Chopra resolveu voltar à delegacia de polícia de Sahar. A reunião com Homi havia lhe afetado profundamente. Agora que ficara provado que a morte do rapaz não havia sido acidental, sentia-se obrigado a conversar com o inspetor Suryavansh.

Ele encontrou o novo dirigente encarregado em sua sala, repreendendo aos berros o subinspetor Patil, que Chopra sempre considerou um policial competente, embora reservado. Viu Rangwalla esperando na frente da sala de Suryavansh, juntamente com o policial Surat, que tremia.

— Por que ele está pegando tão pesado com o Patil? — perguntou Chopra. Ele nunca havia sentido a necessidade de gritar com seus homens. Quando cometiam erros, demonstrava seu desagrado com muita clareza, mas achava que berrar com as pessoas era contraproducente. Não era possível chegar às causas de um erro se apenas uma pessoa falasse. Além disso, em sua experiência, ser alvo da gritaria de um superior só fazia o subordinado ficar com medo de compartilhar informações com ele no futuro. Às vezes aquilo podia ser a diferença entre resolver ou não um caso.

Ele também estava chocado com o nível do palavreado que o inspetor Suryavansh dirigia a Patil. Suryavansh havia insultado não apenas todos os membros da família do policial, vivos e mortos, mas também acusado Patil de praticar atos anormais com animais de carga. Chopra ficou se perguntando como ele próprio reagiria se o CAP Suresh Rao algum dia tivesse falado com ele dessa maneira.

— Pobre Patil — disse Rangwalla. — Ele está trabalhando no caso do incêndio criminoso em Hayat; você sabe, o homem que foi acusado de incendiar a loja do vizinho em Brahman Wadi e depois fugiu? Parece que Patil conseguiu uma pista sobre o esconderijo do canalha. Hoje de manhã, ele montou uma equipe para fazer a prisão. Ficaram esperando durante horas. Então, Patil sentiu o chamado da natureza. Ausentou-se por cinco minutos. Quando voltou, descobriu que um de seus homens havia avistado o incendiário, mas, por ter ficado tanto tempo agachado sem se mexer, sentiu câimbras quando tentou se movimentar e caiu, alertando o sujeito. Quando se reorganizaram para persegui-lo, ele já tinha desaparecido pela rua.

Chopra contou a Rangwalla sobre a autópsia. Ele ficou interessado, mas não pareceu entusiasmado.

— Senhor, devo alertá-lo que, não acredito que o inspetor vá apreciar seus esforços. Do ponto de vista dele, esse caso está encerrado. Ele mesmo me disse isso. Na verdade, até me pediu para informá-lo quando a família cremasse o corpo, para que o relatório final pudesse ser escrito.

Chopra franziu a testa, mas segurou a língua.

A porta da sala de Suryavansh se abriu e Patil arrastou-se para fora, com os olhos vidrados.

Chopra não esperou ser convidado.

Quando entrou na sala, o inspetor encarou-o como se não tivesse a mínima ideia de quem ele era. Finalmente, ele reconheceu Chopra e o convidou para sentar. Seu rosto ainda parecia ameaçador. Chopra se sentiu como um convidado indesejado em um velório.

O inspetor Suryavansh era o policial mais corpulento que Chopra jamais tinha conhecido. Tinha a pele muito escura, um bigode eriçado e dentes extremamente brancos. Tinha a aparência de um astro de cinema do Sul, pensou Chopra. Sua voz parecia emanar da região da barriga; viajava através do peito – onde era amplificada pelos pulmões – e saía por sua boca como uma mini avalanche de som, pronta para atropelar qualquer coisa em seu caminho.

Chopra sabia que Suryavansh fora transferido de um ótimo posto no sul de Mumbai, no abastado distrito de Nariman Point. Ele ficou imaginando o que o homem teria feito para ser mandado a uma região suburbana como essa. Talvez tenha sido a bebedeira...

— Como você conseguia trabalhar com esses caras? — gritou Suryavansh, sacudindo a cabeça. — Vou levar um bom tempo para coloca-los na linha.

Chopra se enfureceu por dentro com o insulto implícito, mas ficou quieto. Não queria entrar em uma disputa de egos com o inspetor Suryavansh. Disfarçando a irritação na voz, ele discorreu rapidamente sobre os resultados da autópsia que havia pedido para Homi Contractor executar.

A essa altura, o inspetor Suryavansh estava claramente inquieto.

— Com que autoridade você solicitou essa autópsia? — ele questionou. — Meu caro Chopra, você está aposentado. Esse não é mais seu trabalho. Isso é assunto da polícia, e você não é mais policial. Estou muito incomodado com essa atitude. Muito incomodado.

Chopra explicou que até mesmo um simples cidadão tem o dever de auxiliar a polícia em suas investigações.

— Mas nós não queremos sua ajuda! — protestou Suryavansh. — O que aconteceria se todo mundo saísse tentando *ajudar* a polícia? Meu caro senhor, devo pedir que pare de interferir nesse caso.

— Eu vou parar de interferir se você me assegurar que a questão será agora investigada de maneira adequada — disse Chopra, finalmente com a voz mais ríspida.

— Eu não tenho que assegurar nada a você — afirmou Suryavansh. Ficou claro que ele estava se esforçando para controlar seu temperamento. — Na verdade, eu estaria dentro de meu direito se o denunciasse. — Não ficou claro para quem ele denunciaria Chopra.

— O rapaz foi assassinado — Chopra disse com firmeza. — A questão é: o que você vai fazer a respeito?

— É apenas uma teoria! — exclamou Suryavansh em voz alta. — Você mesmo disse que a autópsia provou que o rapaz havia bebido. Temos a garrafa de uísque que foi encontrada perto do corpo. Caso encerrado.

— E todas as outras provas? O sangue sob as unhas? As marcas no pescoço?

— Quem sabe? — Suryavansh olhou para ele com raiva. — Talvez ele tenha brigado com a namorada. Talvez ela tenha tentado estrangulá-lo e ele tentou reagir. Talvez fosse esse o motivo de estar bebendo.

— Se é assim, você pode mandar um policial à casa dele. Pode descobrir quem é a namorada e verificar tudo.

— Você acha que meus homens estão aqui parados sem nada melhor para fazer além de ir atrás de algo que não vai dar em nada?

Meus homens! A essa altura, Chopra teve que usar todo o seu lendário autocontrole para não gritar. Ele se agarrou nos braços da cadeira de madeira até os nós de seus dedos ficarem brancos. Finalmente, levantou-se.

— Devo entender que você não vai levar essa investigação adiante?

— Você deve entender que eu vou levar essa investigação até onde eu achar que devo — urrou Suryavansh, também se levantando. O enorme policial agigantou-se sobre Chopra. Mas, de repente, pareceu abrandar: — Veja, eu entendo o que está acontecendo. Você se aposentou. É uma grande adaptação. Mas ouça um conselho. Deixe para lá. Esqueça do trabalho da polícia. Aproveite sua aposentadoria. Leve sua esposa para Shimla. Vá assistir a um jogo de críquete. Você vai ter uma vida muito mais feliz. Se não fizer isso, vai sonhar com crimes pelo resto de seus dias, crimes que não pode solucionar.

Chopra saiu da delegacia profundamente desanimado. Tinha certeza agora de que Suryavansh não faria nada para encontrar o assassino do rapaz. Isso simplesmente não estava em sua lista de prioridades. O que a mãe do rapaz havia dito? "*Para uma mulher pobre e seu pobre filho não há justiça*".

E, de repente, ele se deu conta de que não deixaria por isso mesmo. Ele não ia simplesmente esquecer o caso, como havia sugerido o inspetor Suryavansh. Não podia.

Chopra havia sido um policial meticuloso, um homem de métodos e processos cuidadosos. Normalmente, tudo que bastava para solucionar um caso era sua atenção aos detalhes, que havia se tornado lendária entre seus companheiros da polícia. Mas às vezes era preciso contar com a mais antiga ferramenta de um policial: a intuição. O instinto. E o instinto de Chopra estava lhe dizendo que o assassinato daquele pobre rapaz precisava ser solucionado. E se a polícia não se dispunha a fazer isso, outra pessoa teria que assumir a responsabilidade.

Vinte milhões de almas viviam na cidade de Mumbai. Elas estavam interconectadas, Chopra sempre sentiu, como uma enorme colmeia de abelhas. E quando uma daquelas almas morria de forma não natural, injusta, era responsabilidade da colmeia resolver a questão. Embora não fosse um homem religioso, Chopra estava convencido de que, se isso não acontecesse, a alma do rapaz não atingiria a *mocsa*. Continuaria vagando no limbo entra a morte e a ressurreição, sem poder viver ou morrer em paz.

Não foi difícil encontrar o complexo Marol Mayavati. Tratava-se de um bairro pobre a vinte minutos de distância da delegacia de Sahar. As casas ficavam agrupadas em volta de um espaço descampado que, no período das monções, se transformava em uma série de pequenos lagos. Naquele período de calor prolongado, o espaço havia secado e se transformado em um deserto cheio de rachaduras.

Um fedor denso e azedo emanava de uma pilha de lixo em um canto do descampado. Porcos chafurdavam na sujeira, enquanto cães vira-latas latiam para eles com entusiasmo. Porcos e cães de rua eram tão comuns em Mumbai que Chopra pensava com frequência que deveriam ser aclamados como os mascotes não oficiais da cidade.

Quando bateu na porta da casa malconservada, Chopra se preparou para confrontar a mulher que havia visto na delegacia, a mãe do rapaz. Porém, a porta foi aberta por um idoso de kurta branca, calças pretas, sandálias abertas e óculos. O homem tinha um rosto gentil e afável e um ar sereno. Estava segurando um jornal.

— Pois não?

— Eu sou o inspetor Chopra. Vim fazer algumas perguntas sobre a morte de seu filho.

O homem não disse nada por um instante, depois assentiu.

— Por favor, entre, inspetor.

A casa tinha apenas três cômodos: uma área de estar, que também funcionava como quarto e cozinha, um banheiro e um segundo quarto pequeno. Havia panelas sujas sobre o fogão. O homem notou o olhar de Chopra.

— Minha esposa está descansando — ele disse, desculpando-se. — Ela não está muito bem. O senhor compreende.

Chopra fez que sim com a cabeça. Ele entendia. Ele entendia a raiva da mulher. Mas como podia entender seu sofrimento?

— Por favor, sente-se. Posso lhe oferecer uma bebida? Um pouco de água com limão? Ou Coca-Cola?

— Não, obrigado.

O nome do homem era Pramod. Pramod Achrekar, o pai do rapaz.

Ele mostrou uma fotografia a Chopra: o rapaz com os pais no dia em que obteve o diploma do ensino médio.

— Ele estava entre os três melhores da turma — disse Achrekar com orgulho. Chopra olhou para a fotografia. Sua primeira impressão tinha sido correta: Santosh, de fato, era um rapaz bonito. Jovem e exuberante, demonstrava aquele ar de autoconfiança que os jovens têm hoje em dia. Com o futuro inteiro pela frente.

Chopra explicou o motivo da visita. Ele contou ao pai do rapaz sobre a autópsia que havia solicitado e seus resultados. O rosto do homem pareceu concentrar um ar de profunda tristeza.

— Um policial telefonou da delegacia. Ele me disse que meu filho tinha morrido acidentalmente. Que ele era um bêbado, e que sua própria estupidez o havia matado. Eu não quis acreditar nele. Se Santosh fosse um bêbado, teríamos notado algum sinal antes. Mas até que ponto realmente conhecemos nossos filhos? Minha esposa não ficou convencida. Ela disse desde o início que não podia ter sido um acidente. Mas também, as mães não enxergam defeitos em seus filhos.

— E haviam? — perguntou Chopra. —Defeitos com o seu filho eu digo.

Achrekar tirou os óculos e esfregou a ponta do nariz.

— Ele não era perfeito. Era um garoto voluntarioso. Depois que terminou o ensino médio, deixou de ouvir meus conselhos. Eu queria que ele continuasse estudando, que fosse para a universidade, mas ele queria trabalhar, ganhar dinheiro. É engraçado.... Quando eles são jovens, precisam da gente para tudo. Mas assim que conseguem andar com os próprios pés, não precisam da gente para absolutamente mais nada. — Ele deu um sorriso melancólico. — Eu me lembro de quando ele era um garotinho e pegou malária. Por uma semana, ficou tão doente que achamos que fosse morrer. Até os médicos já tinham desistido dele. Tentei ser o homem forte da casa, mas por dentro era como se Deus estivesse espremendo meu coração em suas mãos.

Chopra sentiu o silêncio do velho, um sofrimento respeitável espalhava-se como um gás mortal, preenchendo a pequena casa.

— Onde ele trabalhava?

— Ele foi contratado pela empresa de um exportador. Um grande executivo local. Santosh contou-nos que o executivo estava muito impressionado com seu entusiasmo. Ele logo foi promovido e trabalhava diretamente para a matriz.

— Quem era esse executivo? — perguntou Chopra, pegando o bloco de notas. — Eu gostaria de falar com ele.

— Seu nome é Jaitley, Sr. Arun Jaitley — respondeu Achrekar. — O escritório da matriz fica aqui próximo, na Andheri Kurla Road, perto do hotel Kohinoor Continental. Não sei muito mais do que isso sobre ele, exceto que Santosh me disse que ele era mesmo daquela área. Pedi várias vezes para Santosh me passar mais informações, mas ele sempre dizia que seu chefe havia instruído os funcionários a respeitarem sua privacidade.

— O que *ele* está fazendo aqui?

Chopra se virou. Na porta do quarto ao lado estava a mãe do garoto. Seu rosto estava inchado de tanto chorar e havia uma expressão vaga em seus olhos.

Achrekar levantou-se e foi na direção da esposa. Ficou entre os dois e explicou a ela por que Chopra estava lá. Chopra esperou que ela começasse a atacá-lo, como havia feito no outro dia, mas, em vez disso, suas pernas pareceram ceder sob seu corpo e ela desabou em uma cadeira perto do fogão. A cabeça caiu sobre as mãos e o corpo tremia com soluços silenciosos. Achrekar voltou-se para Chopra.

— O senhor deve desculpá-la — ele disse. — Ela sempre foi muito próxima dele. Ele era nosso único filho. Temos duas filhas, mais velhas que Santosh. Ambas se casaram e se mudaram para longe. Agora estamos sozinhos.

— Não se desculpe — disse Chopra. Ele não conseguia imaginar como seria criar um filho, amar aquele filho mais do que tudo no mundo, e então acender a pira funerária desse filho. Um filho não deveria nunca morrer antes dos pais: era uma regra da natureza. — Por favor, se me permite, eu gostaria de ver o lugar onde Santosh dormia, onde guardava suas roupas, qualquer guarda-roupa ou cômoda.

— Sim, é claro.

Achrekar levou Chopra até o quarto de onde tinha saído sua esposa.

— Esse era o quarto de Santosh.

Era um cômodo minúsculo com uma única cama pequena e um guarda-roupa de aço. Na parede, uma imagem de Salman Khan, *superstar* de Bollywood, com sua regata branca característica, montado em uma moto Honda Hero.

— Posso examinar suas coisas?

— É claro que sim — disse Achrekar. — Vou deixar o senhor fazer o seu trabalho.

Chopra abriu o guarda-roupa. Nas prateleiras, bem arrumadas, estavam as roupas do rapaz. Camisas, calças, jeans, meias, cuecas.

Chopra retirou os itens, um por um, e verificou os bolsos. Não encontrou nada.

Abriu uma pequena gaveta embutida no guarda-roupa. Lá dentro havia canetas, algumas moedas, uma pilha de cartões de visita envoltos em um elástico e um diário.

Chopra sentou-se na cama e deu uma olhada nos cartões. Nada lhe chamou a atenção a princípio, mas então ele olhou novamente e pegou um cartão branco com bordas douradas. Leu o que estava escrito. Dizia:

SURESH SOLANKI
Diretor
Companhia internacional de Exportação Ram Leela
Próximo ao Kohinoor Continental, Andheri Kurla Road
J. B. Nagar, Andheri Leste, Mumbai, 400059

Só podia ser o escritório onde Santosh trabalhava. Chopra guardou o cartão no bolso. Depois, pensando melhor, colocou todos os cartões de visita nos bolsos. Suspeitou que pudesse encontrar outras informações úteis ali.

Depois, folheou o diário. Havia pouca coisa nele. Santosh não o havia usado para registrar seus pensamentos, mas simplesmente como agenda, anotando datas de reuniões e outros acontecimentos importantes. As coisas estavam escritas em garranchos que Chopra achou difícil decifrar. Santosh também tinha o hábito de escrever usando abreviações. No mês anterior, houve um grande número de referências a "OMSN". A anotação mais intrigante dizia: *"OMSN – como desmascará-los?"*.

O que poderia ser OMSN? Quem eram eles, e o que Santosh queria desmascarar?

A última anotação foi feita no dia em que Santosh morreu. Foi a única anotação daquele dia. "Encontrar S. no Moti, 21h".

Chopra ficou se perguntando se Moti era a casa de um amigo, ou talvez um refúgio habitual, como um bar ou loja de bebidas. Talvez fosse o lugar onde o rapaz bebia com os amigos. Talvez fosse onde ele encontrou o amigo (o tal "S", talvez) com quem estivera bebendo naquela noite.

Era uma pista vital, Chopra sentiu.

Se conseguisse encontrar o Moti, talvez fosse capaz de encontrar alguém que tivesse visto Santosh com seu amigo; e a partir daí, poderia identificar o amigo.

Ele voltou para a área de estar, onde Pramod Achrekar ainda consolava a esposa.

— Tem mais uma coisa — ele disse. — Vocês sabem se Santosh tinha namorada?

A Sra. Achrekar levantou a cabeça com severidade.

— Santosh era um bom garoto — ela grasnou, com a voz submersa em sofrimento. — Teria se casado com a garota que eu escolhesse para ele. — Aquele pensamento levou mais lágrimas aos seus olhos, e ela afundou o rosto nas mãos mais uma vez. Achrekar apertou seu ombro e se levantou para acompanhar Chopra até a porta.

Do lado de fora, Chopra sentiu a força total do sol, mas sabia que, naquele momento, nem um único raio de luz penetraria o interior da casa de Achrekar.

— Santosh era um rapaz muito bonito — disse Achrekar, tirando os óculos e os limpando na beirada da kurta. — Eu o ouvia às vezes no telefone celular, brincando sobre todas as namoradas que tinha. Mais namoradas que Salman Khan, ele costumava dizer. — Ele sacudiu a cabeça e um sorriso se abriu em seu rosto. — A juventude acha que nós, os velhos, não conseguimos entender o que eles estão conversando, então não se dão ao trabalho de falar baixo. Por isso, eu não acho que meu filho estivesse namorando sério no momento. Ele estava muito comprometido em ser alguém. Ele queria estar bem de vida antes de começar a pensar em ter uma esposa, uma família.

— Ele tinha muitos amigos? Eu talvez precise falar com os mais próximos.

— Ele costumava ter um grande círculo de amizades. Mas nos últimos seis meses esteve completamente ocupado com o trabalho. Muitos deixaram de vir até aqui para visitá-lo.

Chopra ficou imaginando se aquilo podia ter sido fonte de algum tipo de tensão. Um amigo poderia ter ficado ofendido por ter sido ignorado? Ele já tinha visto assassinatos causados por menos do que isso.

— A sigla "OMSN" significa algo para o senhor? Ou Moti?

Achrekar negou.

— Santosh tinha uma moto?

— Não. Ele tinha tirado a carteira, e estava juntando dinheiro para comprar uma. Mas nem chegou a ter essa chance.

— Achrekar olhou diretamente para ele. — Tem mais uma coisa que quero contar sobre o meu filho — ele disse. — Santosh tinha um senso muito forte de integridade e de justiça. Acreditava piamente na nova Índia como uma terra de oportunidades para todos, não só para os ricos. Ele acreditava que poderíamos tornar esse país realmente excelente se nos livrássemos de todo o crime, corrupção e complacência, se cada indivíduo assumisse a responsabilidade pela formação do futuro.

Chopra reuniu seus pensamentos antes de falar.

— Senhor, quero lhe garantir que a morte de seu filho não é insignificante, não para mim. Custe o que custar, eu vou encontrar seus assassinos.

Chopra deixou o pai em luto e abatido na porta de sua casa, olhando ao longe pelo curso da estrada que antes marcava o futuro brilhante de seu filho assassinado e que agora desaparecia.

A COMPANHIA INTERNACIONAL DE EXPORTAÇÃO RAM LEELA

O dia já fora muito produtivo, mas Chopra ainda não tinha terminado. Sentia-se energizado por aquela velha sensação, a sensação de começar a decifrar um caso. Era a sensação que sempre tinha quando a impenetrabilidade de um crime começava a se dissipar e as coisas se tornavam mais claras. Sua mente era lógica, desprovida de distrações irrelevantes. Nesse ambiente limpo e racional, ele normalmente espalhava as peças de uma investigação, e começava a encaixá-las gradualmente como se fossem peças de um quebra-cabeças. Tinha uma percepção infalível de quais peças faltavam no enigma e de onde as seções específicas se combinavam para revelar uma resposta.

Estava tão empolgado com seu progresso no caso de Achrekar que decidiu nem voltar para casa para almoçar. Ele sabia que Poppy não gostaria disso – ela havia dito que prepararia um curry especial de frango makhani para ele, servido com seu elogiadíssimo boondi raita. Mas a comida teria que esperar.

O riquixá deixou Chopra bem na entrada do prédio onde a Companhia Internacional de Exportação Ram Leela mantinha seus escritórios.

Era um edifício vistoso, ele observou, cuja fachada era decorada com mármore branco importado. O aluguel ali não devia ser barato.

No saguão havia mais mármore e uma dupla de entediados seguranças terceirizados. A Companhia Internacional de Exportação Ram Leela alugava os últimos quatro andares do prédio de dez.

Chopra pegou o elevador e subiu até a recepção da empresa no décimo andar. Atrás de um balcão de granito preto, uma bela jovem com longas unhas pintadas e excesso de batom digitava em um computador. Ela levantou a cabeça e, ao notá-lo ali, sorriu.

— Senhor, posso ajudá-lo?

— Sim — disse Chopra. — Eu sou o inspetor Chopra e gostaria de falar com o Sr. Arun Jaitley.

— Ah — disse a garota com uma expressão de confusão passando por seu rosto. — O senhor tem horário marcado para falar o com Sr. Jaitley?

— Não — disse Chopra. — Mas quero falar com ele assim mesmo.

— Mas o Sr. Jaitley não está aqui, senhor.

— Onde posso encontrá-lo?

— Senhor, o Sr. Jaitley está fora do país.

— Fora do país? Onde?

A garota hesitou.

— Senhor, não tenho permissão para fornecer detalhes sobre o paradeiro do Sr. Jaitley.

— Está tudo bem — ele disse. — Eu sou policial.

A garota mordeu o lábio. Chopra podia ver que a estava colocando em uma posição muito desconfortável.

— Vou lhe dizer uma coisa — ele afirmou de forma gentil —, por que não chama a pessoa que está no comando durante a ausência do Sr. Jaitley?

A garota ficou radiante.

— Senhor, essa pessoa seria o Sr. Kulkarni.

— Por favor, diga que o inspetor Chopra deseja falar com ele.

— Ah. — A garota pareceu se desesperar de novo. — Mas, senhor, o Sr. Kulkarni também não está aqui.

Chopra franziu a testa.

— E onde ele está? Ou o paradeiro dele também é um segredo de Estado? — Ele não conseguiu evitar que o tom de sarcasmo envolvesse sua voz.

A garota deu uma risadinha.

— Não, senhor. O Sr. Kulkarni está em Chennai a negócios. Ele deve retornar na próxima semana.

— Entendo — ele disse. — Bom, há alguma forma de conversar com Jaitley ou Kulkarni por telefone?

— Não, senhor — a garota disse com firmeza. — Temos ordens expressas de nunca passar os números de celular do Sr. Jaitley ou do Sr. Kulkarni para ninguém.

Chopra estava prestes a passar um sermão na garota, mas concluiu que essa não seria a atitude mais sábia. Afinal, ele realmente não era mais um policial, e se abusasse de sua questionável autoridade poderia sofrer consequências sérias mais tarde, principalmente se o inspetor Suryavansh descobrisse.

— Veja — ele disse, rangendo os dentes —, estou investigando a morte de Santosh Achrekar. Disseram que ele trabalhava aqui. Você o conhecia?

O rosto da garota imediatamente contorceu-se em uma expressão de tristeza. Ele estava começando a achar que ela podia ser uma grande atriz dramática.

— Senhor, sim, é claro! Santosh era um rapaz muito amável. Tão gentil e bonito. Ele sempre me trazia presentinhos. O senhor sabe, como bombas de chocolate e biscoitos Maria. Fiquei muito abalada quando soube que ele morreu em um acidente, abalada mesmo.

— Há alguém aqui em especial com quem Santosh tenha trabalhado mais proximamente? Talvez essa pessoa? — Chopra estendeu o cartão de visitas que havia encontrado na casa de Santosh.

A garota abriu mais um sorriso, e sua tristeza evaporou-se tão rápido quanto havia surgido.

— Ah, sim, senhor. O Sr. Solanki era muito próximo de Santosh.

— Não me diga. — Chopra disse — O Sr. Solanki está fora da cidade.

A garota parecia confusa.

— Não, senhor — ela respondeu, sem perceber a ironia. — Por que acharia isso? O Sr. Solanki está na sala dele. Vou avisar que o senhor está aqui.

Suresh Solanki entrou na sala de reuniões para onde o inspetor Chopra tinha sido levado pela volátil recepcionista. Era um homem alto e magro, de rosto pálido e olheiras profundas ao redor dos olhos, como se não dormisse bem há muito tempo. Vestia uma camisa branca impecável, gravata e lustrosos sapatos pretos. Chopra deu-lhe uns trinta e poucos anos.

Solanki não o cumprimentou com um aperto de mão. Em vez disso, recebeu-o com uma expressão de profundo desgosto e desconfiança.

— Seema me disse que o senhor é policial. Quer fazer algumas perguntas sobre Santosh?

— Sim — disse Chopra.

— Então, primeiro devo lhe dizer que Santosh já não era mais empregado de nossa organização quando morreu.

— Bem — disse Chopra —, é a primeira vez que ouço isso. Visitei recentemente a família dele. Se tivesse saído do emprego, tenho certeza de que saberiam.

— Talvez não tenha contado a eles. Talvez estivesse muito envergonhado.

— Do que ele sentiria vergonha?

— Bem, do fato de ter sido demitido do seu cargo.

— Entendo — disse Chopra. — E por que ele foi demitido?

— Não era muito bom no trabalho.

— O pai dele parece acreditar que ele foi especialmente elogiado pelo Sr. Jaitley, proprietário da empresa, justamente por ter se destacado. Por que ele diria isso?

Solanki deu de ombros.

— Como vou saber? Os pais orgulham-se dos filhos mesmo quando não há nada do que se orgulhar.

Chopra ficou irritado, mas se manteve quieto. Não gostou do homem desde o primeiro momento em que o vira. Solanki era arrogante e rude. Também havia algo de dissimulado em seus modos.

— Diga-me, o que Santosh fazia aqui e qual era sua relação com ele?

— Santosh era um assistente administrativo. Ele trabalhava para mim, alimentando o banco de dados; você sabe, passando registros contábeis para nosso sistema informatizado. Ele também visitava nossa rede de fornecedores, acompanhando o processamento dos pedidos de compra.

— O que exatamente vocês exportam?

— Artigos de vestuário, principalmente. Compramos de pequenos fornecedores espalhados por todo o país e exportamos para o Oriente Médio e países asiáticos próximos, como a Malásia. Exportamos até mesmo para o Quênia e para a África do Sul.

— Devem fazer muitos negócios para que consigam exportar a tantos países assim.

— Somos uma empresa muito grande. Aqui é apenas a nossa sede. Temos outros escritórios em Délhi, Bangalore, Chennai e Calcutá. — A afirmação foi feita com um orgulho descarado.

Chopra levou em conta aquela informação.

— Você percebeu algo incomum no comportamento de Santosh recentemente? — ele perguntou.

Solanki piscou. Houve uma breve hesitação antes que respondesse.

— Só que ele estava bebendo muito. Foi um dos motivos para sua demissão. Não gostamos que nossos funcionários cheguem atrasados e bêbados ao trabalho.

— Esse não parece o Santosh que seus pais descreveram para mim. — Chopra olhou diretamente nos olhos pesados de Solanki; Solanki tentou manter o olhar fixo, mas logo desviou o rosto.

Chopra pegou o seu bloco de notas e fingiu folheá-lo com atenção.

— Diga-me — ele por fim falou —, você sabe o que significa OMSN?

O rosto de Solanki permaneceu impassível.

— Não — ele respondeu.

— E "Moti"?

— Não.

Ele não sabia dizer se Solanki estava mentindo. Lembrou-se da anotação no diário de Santosh: "Encontrar S. no Moti, 21h". Será que Solanki era o "S."? Ele olhou com cuidado para o rosto de Solanki, mas não conseguiu ver nenhum arranhão. Seu olhar examinador estava claramente deixando o homem alto desconfortável – Solanki olhava para o relógio para disfarçar o incômodo.

Chopra tinha certeza de que ele não estava dizendo tudo o que sabia.

— Só por curiosidade, onde o senhor estava quatro noites atrás?

— Em casa, com minha família — respondeu Solanki, um pouco rápido demais.

— Você tem uma motocicleta?

— O que isso tem a ver?

Chopra não respondeu.

— Sim, tenho uma motocicleta — Solanki disse, nervoso. — Como milhões de outras pessoas da cidade.

Ele olhou mais uma vez para o bloco.

— Suponho que tenha algum documento que registre a dispensa de Santosh? — Ele disse, por fim.

— Quando for requisitado legalmente que apresentemos a papelada, ela será disponibilizada — disse Solanki bruscamente.

Chopra sabia que não conseguiria tirar mais nada desse homem.

Ele saiu do prédio com mais perguntas que respostas. Seu otimismo de antes já havia desaparecido, e ponderou que talvez tivesse assumido um problema que ia além de sua capacidade de resolução. Ele não tinha os recursos nem os mandatos para seguir as diversas linhas de investigação que havia descoberto. Não havia nada que pudesse fazer para extrair mais informação de Suresh Solanki.

Não havia realmente mais nada que pudesse fazer.

O INSPETOR CHOPRA VISITA UM VETERINÁRIO

Na manhã seguinte, o inspetor Chopra voltou sua atenção novamente para o problema de Ganesha. Ele havia marcado uma consulta com o Dr. Lala às onze horas, mas o doutor não atendia fora do consultório. Ao se dar conta de que a clínica veterinária ficava a apenas uma curta caminhada de distância, em um trecho no meio do caminho entre a Sahar e a M.V. Road, ele decidiu que simplesmente levaria sua carga enferma com ele. A caminhada poderia até mesmo fazer bem ao pequeno elefante.

Quando Chopra chegou na guarita, verificou que sua sogra Poornima Devi e duas outras senhoras de cabelos brancos do prédio cercavam o elefante. Uma delas era a Sra. Subramanium.

— O que está acontecendo aqui?

A Sra. Subramanium se virou e se dirigiu a Chopra com as sobrancelhas levantadas.

— Chegou a mim a informação de que seu elefante vem poluindo o condomínio, Chopra.

— Poluindo?

— Está fazendo as necessidades por todo o lugar, ao que parece.

— Quem disse isso? — perguntou Chopra, encarando Poornima Devi.

A megera de um olho só mal olhou para ele.

— *Eu* disse a ela. Escorreguei na sujeira que essa criatura fez hoje de manhã — ela disse.

— É verdade, Bahadur? — Chopra perguntou.

O guarda sorriu de modo apreensivo. Viu-se pressionado entre duas forças opostas e percebeu, por instinto, que a melhor coisa a fazer era manter a boca fechada.

— É claro que é verdade — disse Poornima. Ela levantou a sandália por debaixo de seu sári branco de viúva. — O que acha que é isso? Chocolate?

— Talvez devesse olhar por onde anda.

A velha parecia soltar fumaça.

— Talvez seu elefante não devesse deixar presentinhos para nós por todo o condomínio.

— Ele mal tem comido. Não acho que seu intestino ande tão ativo quanto você parece crer.

— Então, quem é o responsável por *isso*? — Ela balançou a sandália na frente dele mais uma vez. — Acha que Bahadur fez isso?

Chopra concluiu que discutir com sua sogra era inútil.

— Muito bem. Vou cuidar disso.

Ele observou as mulheres indo embora, deixando pelo caminho um coro de resmungos.

Quando elas desapareceram nas escadas, Bahadur emergiu de sua fortaleza de silêncio.

— Sinto muito, sahib.

— Sente pelo quê? — perguntou Chopra. Ele se ajoelhou ao lado de Ganesha. — Ignore aquelas velhas caducas, garoto — ele sussurrou. — Não têm nada melhor para fazer. Agora... nós vamos dar uma volta. Venha cá.

Foi preciso um pouco de persuasão para fazer Ganesha se levantar, e, no fim, tanto Chopra quanto Bahadur tiveram que dar umas puxadinhas na corrente em volta do pescoço do elefantinho.

Não foi uma tarefa fácil. Um bebê elefante, mesmo frágil como Ganesha, pesava mais de duzentos quilos. Entretanto, uma vez de pé, o elefante pareceu resignado com seu destino. Ele seguiu Chopra sem reclamar, arrastando-se ao lado dele com os olhos tristes, a tromba balançando com indiferença, olhando para o mundo como se fosse um prisioneiro condenado sendo levado para cumprir sua sentença.

A caminhada se mostrou um tanto agitada e cheia de eventos. Já se passavam muitos anos desde que Chopra tinha de fazer a ronda, mas ele ainda mantinha alguns contatos pela região. Esse era o verdadeiro segredo de um bom trabalho policial, ele sabia. Teve a sorte de contar com um subinspetor hábil como Rangwalla, que, tendo ele próprio crescido nas ruas, entendia instintivamente o valor de manter um exército de olhos observadores e de ouvidos atentos aos quais pudessem recorrer quando necessário. Mas claro, era um acordo que tinha dois lados.

Havia uma regra informal na cidade: ninguém fazia nada por ninguém em Mumbai sem pedir algo em troca. Não era uma regra com a qual Chopra se sentia à vontade o tempo todo, mas ele era um homem prático. Para alcançar um bem maior, estava disposto a pagar de vez em quando aos informantes pelas informações, ou permitir que algum descuido menos importante passasse despercebido. Mas havia uma linha que ele não cruzava. E era isso que o separava de muitos de seus colegas.

Um relatório recente da Agência Central de Investigação tinha confirmado mais uma vez que a força policial de Mumbai era apenas um pouco menos corrupta do que a Receita Federal. O relatório causou uma grande revolta e um grande constrangimento aos superiores de Chopra. Mas era verdade. Em vez de ficarem constrangidos, seus superiores deviam ter ficado enfurecidos, ele achava. Em vez disso, fizeram o que sempre faziam e acusaram os autores das denúncias de estarem conspirando.

Era mais uma manhã excepcionalmente quente, e a camisa de Chopra logo começou a grudar em suas costas. Eles formavam uma dupla singular, ele sabia: o senhor de meia-idade com costeletas ficando grisalhas e o filhote de elefante que parecia desanimado e subnutrido. As crianças os seguiram pelas ruas lotadas e empoeiradas. Um garoto sapeca subiu nas costas de Ganesha e montou nele, fingindo ser um herói do último sucesso de Bollywood, até que Chopra se virou e o espantou. Ganesha pareceu nem notar.

Eles pararam para falar com Chanakiya, que tinha uma lojinha de reparos de relógios de parede e de pulso.

— Ram ram, inspetor sahib. — O pequeno e enrugado relojoeiro acenou com a cabeça de dentro da loja, sentado com as pernas cruzadas sobre o estreito balcão, vestindo lungi branco e camiseta.

Chopra apanhou um relógio de pulso que havia deixado com Chanakiya alguns dias antes. O relógio tinha durado vinte e quatro anos, e fora um presente de seu pai por ocasião de seu casamento. Poppy sempre insistia para que comprasse outro, mas ele nem ouvia. Era a única lembrança que tinha de seu amado pai já falecido. Ele pagou a Chanakiya vinte rúpias pelo reparo, e seguiu.

Quando passaram pela mesquita Al-Noor, na Lalit Modi Marg, o seu sacerdote, o imame Haider gritou para ele:

— Salaam, inspetor babu, salaam!

O imame Haider era uma presença robusta, um homem forte como um urso, com a barba vermelho-fogo de um hadji que acabara de voltar de Meca e sobrancelhas que pareciam cutelos. Vestia uma enorme kurta-pajama branca e o chapéu todo enfeitado que Chopra não se lembrava de ter visto sair da cabeça do imame uma vez sequer.

Chopra nutria muito respeito pelo imame Haider. Eles se conheciam há muitos anos, tendo se tornado amigos durante os tumultos de 1993. Os tumultos estouraram depois da demolição da mesquita de Babri, em Ayodhya, por hindus que alegavam que ela havia sido construída sobre o antigo local de nascimento de Rama. Os muçulmanos enfurecidos então retaliaram protestando nas ruas, e alguns dos protestos descambaram para a violência. Essa violência gerou ainda mais violência, e logo, antes que alguém entendesse o que acontecia, multidões haviam tomado as ruas, promovendo desordem por toda a cidade e uma busca indiscriminada por sangue.

Foi um momento assustador para os cidadãos comuns. Mas, em meio ao caos e ao terror, o imame Haider havia mantido a calma e abrigado, com frieza, centenas de muçulmanos apavorados no porão da mesquita Al Noor, protegendo-os da pior parte dos tumultos.

Chopra foi o primeiro a chegar à área depois da explosão dos conflitos e com a ajuda de Rangwalla e de seu confiável revólver, conteve os últimos justiceiros.

Os dois homens passaram algum tempo conversando, compartilhando novidades. O imame Haider expressou grande decepção ao saber que o inspetor havia se aposentado. Ele comentou que, com o recente aumento no número de radicais na região – de ambos os lados da fenda que divide hindus e muçulmanos –, um homem como Chopra era mais necessário do que nunca.

— São dias difíceis, Chopra — disse Haider. — De um lado temos cada vez mais agitadores e, do outro, uma apatia crescente. Não há mais meio-termo. Não há lugar para moderados. Os fanáticos não escutam e os outros escutam, mas não se importam. Não sei o que é pior.

— Como estão seus filhos? — perguntou Chopra, querendo mudar de assunto. Ele sabia que toda vez que o imame abordava aquele tópico levava muito tempo para se acalmar.

— *Estou falando* dos meus filhos — entoou Haider, com pesar. — O mais velho passa a noite estudando sua fé, o que é bom. Mas então, em outros momentos, cisma de fazer discursos incendiários. O mais novo só se interessa por críquete e filmes. Devo dizer, Chopra, o mundo está mudando, e não é para melhor. — Haider olhou na direção do companheiro de Chopra. — Quem é seu jovem amigo?

— Seu nome é Ganesha. Estou cuidando dele.

— Já ouvi histórias de pessoas que arrumam passatempos estranhos quando se aposentam, meu velho amigo, mas criar elefantes é novidade para mim.

Entre os estábulos de búfalos de Swapnadeep e a loja de artigos de cobre do Gokalda, um enorme homem de pele escura, vestindo roupas tingidas de preto pelo óleo, acenou para Chopra da entrada de uma pequena oficina.

— Ei, inspetor sahib, pensou sobre minha oferta?

Chopra negou com a cabeça.

— Kapil, meu velho amigo, como já lhe disse muitas vezes, Basanti não está à venda.

— Você é um homem estranho, inspetor — Kapil gargalhou. O alto topete de cabelos pretos penteados com gel no topo de sua cabeça tremeu, e os brincos de pirata pendurados nas orelhas subiram e desceram. O macacão de Kapil tinha as mangas cortadas e revelavam fortes braços de lutador. Ele então cruzou aqueles braços e abaixou a cabeça para olhar para Chopra, por cima do nariz achatado. — Por dez anos você colocou ela para manutenção uma vez por mês, pontual como um relógio. Mas nunca a tirou da minha oficina. Se não estivesse me pagando tanto dinheiro para guardá-la, lhe diria que você é maluco!

— O que o senhor tem aqui é um caso clássico de um elefante suicida.

Chopra olhou para o rosto do veterinário genuinamente espantado.... Então, o Dr. Lala começou a rir.

— Eu estou apenas brincando, inspetor.

O bom médico, ele começava a descobrir, era uma pessoa bem diferente do que ele havia imaginado no telefone.

O Dr. Rohit Lala era de origem marwadi, um homem acima do peso cuja família abastada, como ele havia contado a Chopra, ficou horrorizada quando ele se recusou a assumir a cadeia de joalherias da família para estudar medicina veterinária.

Seu pai falecera ainda lamentando que o único filho passava seus dias inspecionando traseiros de búfalos em vez de ganhar dinheiro como um rapaz marwadi decente.

A clínica veterinária ficava localizada nas dependências de uma fábrica têxtil antiga e desativada, atrás da Sakinaka Telephone Exchange.

Passando pela fachada desgastada, Chopra deparou-se com uma sala pequena e bagunçada, ocupada por um jovem de aparência entusiasmada, pele ruim e um bigode engraçado. De um cômodo nos fundos da sala originava-se o latido de inúmeros cães mantidos em gaiolas.

O jovem conduziu-o, com Ganesha atrás, por uma viela lateral até um anexo aberto nos fundos do terreno, onde vários cavalos, búfalos e cabras estavam cercados por uma tela de arame. Encontrou o Dr. Lala examinando um pequeno urso cujo pelo parecia estar caindo aos tufos. O urso estava extremamente desnutrido e parecia terrivelmente doente, e isso até mesmo os olhos destreinados de Chopra podiam perceber.

— Uma mulher de bom coração o resgatou de um circo itinerante — explicou Lala. — Não posso salvá-lo, mas talvez possa lhe garantir uma morte digna. Para ser veterinário, é preciso ser, em primeiro lugar, um *humanitário*. Em um país em que estamos dispostos a transformar todos os animais da face da terra em deuses, não existe palavra para descrever o que significa colocar o bem-estar deles em primeiro lugar. Agora, vamos dar uma olhada nesse jovem elefante.

Chopra esperou o Dr. Lala examiná-lo.

O médico jogou uma luz nos olhos de Ganesha e examinou suas orelhas. Abriu com força a boca com a ajuda de seu assistente e olhou bem lá dentro, prestando atenção especial à língua, dentes e gengivas. Olhou no interior das narinas da tromba. Levantou o rabo e examinou o traseiro de Ganesha. Colocou um estetoscópio em seu corpo calorento e ouviu com atenção. Durante todo esse tempo, foi perguntando a Chopra sobre o histórico do elefantinho, o que apenas revelou que o relutante guardião de Ganesha não sabia quase nada sobre ele.

— Bem — o médico finalmente disse, bufando. — Devo confessar que não sei exatamente o que há de errado com o seu elefante. Além de um certo atraso de crescimento – ele é pequeno para a idade, que, por minhas estimativas, é de mais ou menos oito meses –, ele parece estar em boas condições físicas. Ele não está comendo, pelo que me disse, mas a questão é: por que não? Vou ter que colher amostras de sangue e saliva e mandar para análise, se o senhor quiser um diagnóstico mais detalhado.

Chopra concordou.

— É claro — continuou Lala — que podemos estar lidando com uma causa completamente não física aqui. Elefantes são criaturas altamente emotivas. Talvez algo tenha acontecido com esse pobre animal antes de o senhor tornar-se responsável por ele, e isso esteja na raiz desse comportamento obstinado. — Lala coçou o queixo. — Nesse aspecto, um elefante não é muito diferente do senhor ou de mim, inspetor. Quando estamos sofrendo, ficamos deprimidos, apáticos, emocionalmente desequilibrados. Talvez nosso jovem filhote esteja sentindo falta de sua mãe, sua manada – elefantes são animais muito sociáveis, sabia? Talvez o simples fato de ter sido retirado de seu ambiente o tenha chateado. Assim que ele se adaptar, deve começar a entrar nos eixos. Vamos torcer para que não demore muito.

— E se ele não se adaptar?

— Eu já vi elefantes que simplesmente se deitaram e morreram — disse o Dr. Lala. — Como os humanos, eles têm a capacidade de desistir da vida.

Chopra olhou para Ganesha, que tinha deitado de barriga para baixo e estava olhando com muita atenção para um espaço de terra sob seu nariz, representando fielmente a imagem de sofrimento que o Dr. Lala havia apurado.

Chopra foi tomado por um uma repentina sensação de impotência.

O que ele estava fazendo ao tentar ser a babá dessa pobre criatura? Se seu tio Bansi pensou que ele seria um bom amigo para o pequeno filhote, estava redondamente enganado.

— Dr. Lala — Chopra disse —, tem algum lugar onde um filhote como esse pode encontrar um lar? Um bom lar?

O Dr. Lala olhou para ele ponderadamente.

— Um elefante é uma grande responsabilidade, não é?

Chopra não disse nada.

Lala franziu os lábios.

— Há um santuário em Visakhapatnam. Um velho amigo meu é o administrador. Fizemos a faculdade de veterinária juntos. Eu vou ligar para ele. Apenas me dê alguns dias.

Visakhapatnam, pensou Chopra. Fica do outro lado do país, a mais de mil e quinhentos quilômetros, na costa leste.

Ele se perguntou o que o tio Bansi diria. Mas Bansi havia pedido que Chopra cuidasse do elefantinho. Certamente essa seria a melhor solução. Um santuário atenderia às necessidades de Ganesha muito melhor do que qualquer coisa que ele pudesse fazer.

Chopra olhou para o filhote. Moscas haviam pousado nos olhos de Ganesha e uma coluna de formigas marchava com determinação por sua tromba, como se executassem uma manobra militar. Ganesha parecia alheio ou simplesmente desanimado demais para se importar. Emanava um devastador ar de derrota.

Chopra sabia que precisava fazer a coisa certa…. Naquele momento sentiu um peso sair de seus ombros. Teve certeza de que o santuário em Visakhapatnam saberia o que fazer com o deprimido bebê elefante.

Do lado de fora da clínica veterinária, Chopra parou para secar o suor da testa. Colocou a mão no bolso da calça para pegar o lenço. Quando o puxou, derrubou acidentalmente os cartões de visita que havia recolhido da casa de Santosh Achrekar no dia anterior. Os cartões se espalharam pelo chão empoeirado. Ele praguejou e se abaixou para começar a apanhá-los. Atrás dele, Ganesha esperava pacientemente, com a tromba pendendo da cara melancólica. Chopra se arrastou pela terra árida, recolhendo os cartões. De repente, ficou paralisado. Pegou o cartão que havia chamado sua atenção e levantou-se. Leu o cartão novamente.

EMPÓRIO DO COURO DO MOTILAL
Loja nº 5, Galeria Gold Field,
Kala Qila, Dharavi, Mumbai, 400017

Motilal. Moti. Chopra sentiu a emoção repentina por ter sido feita uma conexão. Por que não tinha percebido antes? Tinha certeza de aquele era o local que Santosh Achrekar havia visitado em seu último dia de vida, o local onde havia encontrado o misterioso "S.", talvez o homem que o matara. A investigação, que Chopra concluíra na noite anterior ter chegado a um muro de tijolos impenetrável, havia se aberto diante dele novamente. Era uma oportunidade que ele não pretendia deixar passar.

A MELHOR FAVELA DO MUNDO

A seção Kala Qila de Dharavi ficava a seis quilômetros de distância, uma longa caminhada sob sol escaldante. Mas Chopra estava determinado a ir atrás da recém-adquirida pista.

O caminho para Kala Qila passava pela M. V. Road, que serpenteava no sentido sul ao redor do perímetro estendido a leste do aeroporto Chhatrapati Shivaji, até encontrar a movimentada Lal Bahadur Shastri Road. De lá, ele poderia seguir a LBS até passar por Chunabhatti e chegar à favela de Dharavi propriamente dita.

Chopra decidiu que levaria Ganesha junto; se voltasse para casa primeiro, perderia cerca de uma hora. E ele não queria perder nem mais um minuto.

Ele sabia que estava entrando por um caminho bem imprudente. Sabia que, se Suryavansh descobrisse que ele estava metendo o nariz no caso, provavelmente teria que entrar em atrito com ele novamente.

Chopra não estava com medo de Suryavansh, mas não queria que complicações entrassem no caminho de sua investigação. E ele tinha que pensar também em Poppy. O que ela diria se soubesse que, dias depois de sua aposentadoria, ele tinha voltado à antiga atividade? Toda a ideia de se aposentar havia surgido para ele se afastar desse tipo de coisa, para que seu coração enfermo pudesse ser poupado da agitação potencialmente fatal.

Bem, pensou Chopra, eu já me decidi. E quando um homem faz isso, todo o resto deve ser deixado nas mãos do destino.

No meio do caminho, o estômago de Chopra começou a roncar. Ele decidiu parar em um restaurante chinês na beira da estrada.

Ficou observando o trânsito da LBS Road enquanto comia um prato de arroz frito à moda oriental. Do outro lado da rua, uma pequena multidão havia se formado para assistir à filmagem de uma produção de baixo orçamento de Bollywood. O protagonista – um homem de meia-idade, acima do peso e que vestia uma camiseta regata apertada e uma peruca preta – fazia uma serenata para uma jovem heroína de minissaia, que parecia alheia aos constantes assobios e comentários sugestivos que vinham da multidão. O diretor obeso berrava ordens por um megafone.

O protagonista de repente tropeçou no próprio pé e caiu sobre uma mesa, derrubando chá quente no belo cão que ofegava embaixo dela e interpretava o papel de escudeiro do herói. A queda desalojou a peruca de sua cabeça, que foi parar sobre os olhos do cão. Este, por sua vez, cego e louco de dor, saiu em disparada pela rua, latindo sem parar. A multidão caiu na gargalhada, achando que era tudo parte da cena.

Chopra pensou mais uma vez nos pobres pais de Santosh Achrekar. Voltou a se imaginar no papel de pai enlutado. Qual a sensação de saber que o futuro do seu filho havia sido interrompido não por um acidente, mas pelos planos maléficos de outro ser humano?

Chopra nunca havia conversado abertamente com Poppy sobre seus sentimentos quanto a falta de filhos na vida deles. Muitas vezes, quis compartilhar sua dor e frustração com alguém, mas sempre soube instintivamente que, se deixasse Poppy suspeitar minimamente do desapontamento que sentia, acabaria para sempre com a confiança que existia entre os dois. Por isso, engolia as lágrimas e fingia que toda aquela história de herdeiro não significava muito para ele. Quando seus colegas levavam doces para o trabalho para comemorar um novo membro na família, ele lhes dava os parabéns e voltava rapidamente para sua mesa, sem fazer muito alvoroço.

Mas, às vezes, na calada da noite, quando Poppy estava desmaiada na cama, ele ficava acordado e se imaginava ensinando ao seu filho os fundamentos de uma tacada defensiva bem executada ou como usar a embreagem de uma Honda Hero novinha, quando Chopra Jr. estivesse aprendendo a andar em sua primeira moto.

Ou sua filha, talvez. Ele imaginava uma fila de pretendentes em potencial, tremendo de medo, apavorados com seu uniforme. Rindo, fantasiava ameaçar prendê-los, dizendo que mandaria alguém espancá-los na cela a noite toda, para que, assustados, eles revelassem seu verdadeiro caráter.

Comprou um cacho de bananas de um vendedor ambulante para Ganesha, mas o elefante ainda não estava disposto a quebrar seu jejum voluntário.

Havia dois anos que Chopra entrara pela última vez na favela de Dharavi, em Mumbai. Na época, estava investigando um caso de sequestro, que acabou não sendo solucionado. Era apenas sua segunda incursão na favela e ele tinha achado, desde sua primeira visita, que Dharavi era simplesmente diferente de tudo que já tinha visto anteriormente.

Em essência, a favela era uma cidade dentro de outra cidade, embora sua verdadeira população sempre tivesse iludido os recenseadores. De qualquer modo, estimava-se que quase um milhão de indivíduos vivessem em seus distritos estreitos, apertados e labirínticos, todos espremidos entre as duas principais linhas de trem da cidade, a Ocidental e a Central.

O que havia impressionado Chopra instantaneamente em ambas as ocasiões em que se aventurara por ali foi como os moradores de Dharavi não tinham vergonha alguma de sua pobreza. Viviam em um dos locais mais superlotados do mundo, uma região anti-higiênica e com poucos recursos, onde a doença florescia e a adversidade era um modo de vida. E, ainda assim, a favela era lar de milhares de negócios bem-sucedidos. Se alguém quisesse ver a verdadeira face do empreendedorismo indiano, Chopra refletia com frequência, bastava vir à favela-cidade. Aqui, sem o benefício do capital estrangeiro ou de expatriados com MBA, micronegócios prosperavam – pequenas operações de apenas um homem, ou uma mulher, que produziam e vendiam de tudo: panelas esmaltadas, *souvenirs* para turistas, bonecas Barbie, calças jeans, vestidos para festa e até mesmo sabonete de ácido carbólico, fruto da maior operação de reciclagem do país. Chopra lembrou-se de um artigo recente que havia lido, sugerindo que Dharavi gerava mais de seiscentos milhões de dólares em moeda efetiva por ano. Por esse motivo, era muitas vezes rotulada pelos jornais como "a melhor favela do mundo".

Chopra não podia discordar. Havia algo ao mesmo tempo mágico e misterioso a respeito desse lugar. Na dimensão paralela que era Dharavi – onde nem autorriquixás conseguiam entrar, onde casas eram construídas com qualquer coisa que estivesse à mão – estanho ondulado, madeira compensada, tijolo de barro, amianto e papelão –, onde um bilhão de baratas brincavam de pega-pega com um milhão de ratos, onde a fumaça preta dos fornos para cerâmica criava uma massa de nuvens artificiais no alto, onde centenas de milhares de lojistas, camelôs, catadores, latoeiros, alfaiates, negociantes do mercado negro e minimagnatas operavam fora do alcance das autoridades municipais, onde o som das marteladas das oficinas dos ferreiros era um constante ruído de fundo –... o espírito humano ainda florescia.

A área de Kala Qila na favela, como sabia Chopra, era famosa por suas lojas de couro. A indústria do couro – do curtimento das peles até a produção de belas peças para venda e exportação – era uma das mais antigas em Dharavi.

Caminhando pela região, ficou impressionado, como sempre, com a proximidade de todas as coisas. Dharavi era uma Mumbai reduzida a uma versão em menor escala de si mesma, mas ainda assim, as mesmas coisas ainda importavam. Das milhares de moradias de apenas um cômodo, brotavam antenas de TV, pôsteres dos últimos lançamentos de Bollywood ocupavam todas as paredes descascadas, velhos discutiam as eleições enquanto fumavam bidis e defecavam no esgoto a céu aberto, mulheres fofocavam sobre os maridos das vizinhas enquanto enchiam baldes com águas das torneiras comunitárias. Havia até mendigos ali. A vida era a vida, afinal.

Chopra parou em frente a uma pequena loja, apenas mais uma entre os inúmeros estabelecimentos amontoados de cada um dos lados de uma passagem empoeirada. As lojas que ocupavam a galeria tinham nomes como COURO DE PRIMEIRA LINHA, COURO ITALIANO TIPO EXPORTAÇÃO e ARTIGOS DE COURO DA ÚLTIMA MODA.

Ele olhou para a placa sobre a loja diante da qual havia parado. EMPÓRIO DO COURO DO MOTILAL. A loja tinha uma vitrine de vidro, como a maioria dos estabelecimentos da galeria. Na vitrine, viam-se muitas bolsas de couro expostas em uma série de prateleiras. Ao lado delas, um manequim sem cabeça exibia um casaco de couro marrom.

Ele olhou ao redor. Uma palmeira crescia na beirada da galeria. Um grupo barulhento de crianças de rua brincava de jogar críquete e havia desenhado com giz um conjunto de estacas no tronco da árvore. Estavam jogando com uma bola de tênis quase careca e um taco velho remendado com fita adesiva. Quando as crianças o viram com Ganesha, abandonaram o jogo e se aglomeram em volta dele, querendo passar a mão no animal. Chopra notou que Ganesha veio automaticamente para mais perto dele.

— Deixem o pobre animal em paz! — disse, censurando as crianças.

Ele acorrentou Ganesha em volta do tronco da árvore, e disse mais uma vez para as crianças não mexerem com ele. Depois, em um lampejo de inspiração, teve uma ideia melhor: pegou a carteira e mostrou-lhes uma nota de vinte rúpias.

— Isso é para vocês — ele disse. — Eu sou o inspetor Chopra e vocês agora são meus ajudantes e devem tomar conta deste elefante. Ele é fundamental para um caso muito importante.

As crianças olharam para Ganesha com um interesse renovado. Uma delas, um garoto despenteado de camiseta regata e bermuda rasgada, disse:

— Hoje em dia não dá para comprar nada com vinte paus, sahib.

Que pestinha insolente!, pensou Chopra, sem conseguir conter um sorriso.

— Mas vinte é tudo o que vão ganhar — ele disse. — É pegar ou largar.

Ele deixou Ganesha, que ficou espiando nervosamente por detrás da árvore enquanto observava as crianças retomarem o jogo de críquete e entrou na loja.

Lá dentro, havia mais manequins, araras com casacos e jaquetas, prateleiras abarrotadas de artigos de couro: bolsas, carteiras, cintos, estojos para facas, garrafões de vinho. O ar estava carregado do inebriante odor almiscarado de couro novo. Decorando as paredes, havia fotografias emolduradas de clientes da loja, celebridades menores de Mumbai e alguns estrangeiros que haviam se aventurado a entrar em Dharavi em busca de uma pechincha. Muitas das peças da loja levavam emblemas de marcas italianas famosas. Mas ele não estava ali para interferir no mar de mercadorias falsificadas produzidas em Dharavi todos os anos.

Nos fundos da loja havia um balcão, onde um empregado cochilava sobre uma banqueta.

Chopra seguiu na direção do funcionário, que, como se ativado por um alarme oculto, acordou com um sobressalto e se levantou, derrubando a banqueta.

— Onde está o dono da loja? — perguntou Chopra.

— Sahib, eu vou chamá-lo agora mesmo! — O funcionário levantou a tampa do balcão e desapareceu por uma porta mais ao fundo.

Instantes depois, um homem gordo, com nariz de batata, papada e cabelos crespos apareceu na porta. Ele também parecia ter sido acordado de uma soneca.

— Olá, senhor, olá! — ele disse com entusiasmo, praticamente esfregando as mãos rechonchudas. — Em que posso ajudá-lo? O senhor parece um homem que precisa de uma jaqueta nova! Sim. Com sua altura e esses ombros esplêndidos, eu tenho uma peça perfeita! É um corte italiano, último modelo!

— Eu não quero jaqueta nenhuma — Chopra disse com firmeza. — Eu sou o inspetor Chopra e estou aqui para fazer algumas perguntas sobre um rapaz que você conhecia.

— Rapaz? Que rapaz? — respondeu fechando a cara. Já não era mais o radiante proprietário de uma bem-sucedida loja de artigos de couro, ávido por concluir uma venda. Chopra sentiu um tom de medo na voz do homem. Ele pegou a fotografia que Achrekar havia lhe dado e mostrou ao homem, que presumiu ser Motilal.

Motilal examinou a fotografia em suas mãos gordas. Os dedos estavam cheios de anéis e correntes de ouro tilintavam nos dois pulsos.

— Senhor, eu nunca vi esse rapaz antes — ele disse, por fim.

Chopra já tinha visto muitos homens mentirem. Alguns eram mestres nessa arte, e nem mesmo policiais com anos de experiência conseguiam afirmar com certeza quando estavam falando a verdade. Mas havia também aqueles como Motilal, cujas mentiras eram tão perceptíveis quanto o nariz em seu rosto.

— Eu já vou avisando — ele disse com firmeza —, nós sabemos que esse rapaz o conhecia. Ele mantinha um registro por escrito dos encontros que tinha com você. Ele foi assassinado há cinco dias. Se não cooperar comigo, vou levá-lo para ser interrogado na delegacia. E, então, vamos ver o que sabe.

Motilal empalideceu.

— Assassinado! Por Shiva! Senhor, eu não tenho nada a ver com nenhum assassinato. Nada mesmo. Sou apenas um humilde comerciante de couro.

Chopra olhou abertamente para a loja.

— Talvez uma visita surpresa da Receita Federal refresque sua memória — ele disse.

Motilal ficou ainda mais branco. Certo tipo de pessoa em Mumbai tinha mais receio de uma fiscalização por parte da Receita do que da ideia de ser implicado em um assassinato.

— Deixe-me ver aquela foto mais uma vez... — Ele fingiu reexaminar a foto. — Ah, sim, agora que o senhor falou, acho que esse rapaz veio aqui algumas vezes recentemente. Ele era apenas um funcionário administrativo, sabe. Ninguém importante.

Ninguém importante, pensou Chopra. Uma onda repentina de raiva formou-se dentro dele. Mas antes que dissesse ao lojista suado tudo o que estava pensando, a porta se abriu atrás dele.

Era um homem alto e careca, cheios de marcas no crânio. Vestia uma camisa com mangas três-quartos, aberta no peito, revelando tufos de grossos pelos encaracolados e um amontoado de correntes de ouro. Naquele espaço apertado, ele parecia um gigante.

Chopra olhou para o rosto do homem. A testa franzia-se sobre sobrancelhas cheias e olhos pequenos. Lábios grossos pendiam sob um nariz gordo. O homem tinha o corpo pesado e musculoso, e em geral uma aparência asquerosa. *Goonda*.... Foi a palavra não dita que lhe veio espontaneamente aos lábios. Um brutamontes de aluguel. Um valentão. Ele já tinha visto muitos desses em sua época.

O homem retribuiu o olhar de Chopra com hostilidade. Então, transferiu o olhar para Motilal e a fotografia que ele ainda segurava nas mãos suadas.

— O que está acontecendo aqui?

— Ah, nada, nada — respondeu Motilal um pouco rápido demais. — O inspetor aqui estava apenas perguntando sobre um rapaz.

— Que rapaz?

— Um rapaz que foi assassinado.

— Assassinado? Pessoas são assassinadas todos os dias em Mumbai. É praticamente nossa principal linha de trabalho. Se começarmos a nos preocupar com todas as pessoas assassinadas na cidade, ninguém faz outra coisa. — Ele se virou para Chopra: — Se estiver procurando por testemunhas, inspetor, está perdendo seu tempo. Estamos em Dharavi. As pessoas sabem que não devem se meter nos assuntos dos outros por aqui.

— Sim, sim — celebrou Motilal. — Ficar de fora dos assuntos dos outros é praticamente minha religião! Ha ha! — O homem olhou feio para ele e Motilal ficou amarelo como se estivesse passando mal. Chopra notou um pavor genuíno nos olhos do comerciante. Entendeu naquele instante quem detinha o poder dentro daquelas quatro paredes. Mas qual seria a relação entre Motilal e o valentão? Seria simplesmente um caso de extorsão, de proteção semanal em troca de dinheiro? Ou algo maior que isso? Será que o valentão representava algum exportador local de artigos falsificados? Chopra conhecia esse tipo de gente. Não era coisa boa.

— O rapaz foi morto em Marol — disse Chopra calmamente.

— Então você está um pouco fora de seu território, não está? — O grandalhão se virou para Motilal. — Tenho negócios a tratar com você — ele disse. — E certamente não são da sua conta, inspetor.

Os dois homens desapareceram dentro do escritório nos fundos.

Chopra esperou, considerando suas opções. Poderia continuar blefando e enfrentar diretamente o brutamontes e Motilal. Mas o valentão não pareceu intimidado por suas credenciais de policial, e ele não podia arriscar ser descoberto. Uma segunda opção seria esperar o brutamontes ir embora e tentar apertar Motilal sozinho novamente. Ele sentiu que, na presença do outro homem, não conseguiria arrancar nada útil do lojista, presumindo-se que ele soubesse de algo. Ele havia chegado até ali graças a um palpite. Apenas em filmes os palpites estavam sempre certos. Na maioria das vezes, não levavam a nada.

O funcionário ficou rodeando Chopra, sem saber como tratá-lo. Claramente, era um policial e, dessa forma, precisava ser abordado com cuidado. Mas, ao mesmo tempo, ele também era alguém que causava certa ansiedade a seu patrão. No final, Chopra resolveu o problema saindo da loja.

Atravessou a galeria até a árvore à qual havia acorrentado Ganesha. As crianças que jogavam críquete haviam terminado o jogo e desaparecido na favela. Quando ele se aproximou, o elefante arrastou-se até ele. Pela primeira vez, Ganesha parecia demonstrar algum tipo de reconhecimento em relação à sua pessoa, esticando a tromba e tocando-lhe a mão. Era um sinal encorajador.

— Ainda não vamos embora, garoto — ele afirmou.

Eles esperaram. À sua volta, a vida continuava em Dharavi. As pessoas passavam pela galeria, algumas executando tarefas, outras examinando as várias lojas de artigos de couro antes de se decidirem por alguma em particular. Passou um vendedor ambulante vendendo água com limão. Chopra comprou dez copos, um para ele e nove para Ganesha, que sorvia o líquido gelado com a tromba e depois o lançava dentro da boca. Até o elefantinho parecia sentir o calor fora do comum.

Finalmente, quando ele já estava prestes a desistir, o grandalhão saiu da loja.

Chopra se escondeu atrás da árvore e viu o sujeito montar em uma moto parada em frente à loja e pisar no pedal. Nada aconteceu. O homem praguejou e tentou mais uma vez. Ainda nada. Ele desceu da moto e se abaixou para examiná-la. Levantou a tampa do motor e mexeu em algo lá dentro. Depois, tentou dar a partida novamente. A máquina continuou não respondendo. Irritado, o grandalhão chutou a moto com força, derrubando-a de lado. Ele continuou a chutá-la no chão, xingando-a em voz alta o tempo todo.

Depois de um tempo, o grandalhão se afastou e olhou para o céu. Secou o suor de sua careca marcada com seu braço peludo. Então, tirou alguma coisa do bolso de trás de sua calça jeans. Era um chapéu, uma espécie de boina militar, mas vermelha, feita de um veludo cintilante. Veludo vermelho.

Chopra ficou paralisado atrás da árvore. Lembrou-se das marcas de pneu de moto que havia visto no local do assassinato do rapaz, de como elas sugeriam que havia dois homens sobre a moto, talvez Santosh e um segundo indivíduo mais pesado. Um homem grande. Homi Contractor havia suposto que as fibras encontradas sob as unhas de Santosh eram de uma *camisa* de veludo. Mas era apenas um palpite. As fibras definitivamente não precisavam ser de uma camisa.

O homem vestiu a boina, colocou a mão dentro dos jeans e tirou um pacote embrulhado em papel pardo. Examinou-o e colocou-o novamente na cintura da calça. Depois foi embora pela rua. Chopra desacorrentou Ganesha e começou a persegui-lo.

O MEGA-SHOPPING ATLAS

Chopra ficou contente porque o homem preferiu ir andando em vez de pegar um táxi. No fim das contas, não tiveram que ir muito longe.

Eles marcharam pela Station Road até a Sion-Bandra Link Road, que servia de ponte sobre o riacho Mahim. Logo que cruzaram para o outro lado, o homem saiu da avenida e entrou no recém-reformado distrito financeiro, que acompanhava a margem do riacho. Ele continuou andando até o Complexo Bandra Kurla, que hoje abrigava empresas globais gigantescas, como a Google. Ali, a terra de cultivo foi limpa e nivelada e todo um novo centro de compras foi criado, com alamedas largas, estacionamentos enormes e lojas gigantescas.

No centro dessa nova área ficava a sua atração principal, o Mega-Shopping Atlas, que diziam ser o maior shopping center de toda a Ásia. Mais de um milhão de metros quadrados de espaço comercial, com mais de mil lojas sob um mesmo teto, oferecendo "um único destino para todas as necessidades de compras, lazer, entretenimento, estilo de vida e alimentação de todos os consumidores".

Mesmo à distância o shopping parecia imponente, pensou Chopra, que nunca tinha entrado nele. Na verdade, ele nunca tinha entrado em nenhum dos novos shoppings centers que haviam surgido recentemente por toda Mumbai.

Ele pensava haver algo intrinsecamente vulgar e estranho nesses lugares, da total arrogância de seu tamanho à suposta hospitalidade de seus serviços. Ele fazia questão de continuar cliente das lojas menores que sempre havia frequentado, embora elas estivessem sendo rapidamente tiradas do mercado pelos novos gigantes.

Seu alfaiate, Ramesh, tinha lamentado a queda no número de clientes.

"Quem ainda quer minhas camisas, inspetor sahib?", ele reclamara. "Agora podem ir ao shopping center comprar camisas do Sr. Van Hussain e do Sr. Loose Phillips".

Chopra não precisava de camisas Van Heusen ou Louis Philippe. Não tinha o que fazer com acessórios da Apple ou óculos escuros Ray-Ban. Às vezes, parecia-lhe que o país inteiro sofria uma reformulação. Ele imaginava filas de indianos passando por cabines operadas por representantes de multinacionais estrangeiras; assim que cada indiano passava, tiravam-lhe suas roupas tradicionais, seus valores tradicionais, e lhe davam coisas novas para usar, coisas novas para pensar. Rotulado e remontado, esse novo modelo de indiano voltava para casa pensando que agora era um indiano moderno de verdade, e como isso era bom. Mas Chopra só conseguia ver a morte gradual da cultura que sempre fez com que tivesse orgulho desse incrível país.

Poppy, é claro, não compartilhava do ponto de vista dele.

Poppy foi uma vítima precoce da *shopping mania*. Foi instantaneamente seduzida pelas luzes brilhantes, pela ostentação nas vitrines e pelos descolados vendedores com seus cabelos penteados para trás e uniformes de cores extravagantes. Ela adorava tê-los alvoroçados ao seu redor, dizendo como ela se parecia com a heroína de tal ou tal filme nessa ou naquela roupa.

À frente do shopping center havia uma grande praça, onde chafarizes em forma de leão borrifavam água pela boca em majestosos jatos para todas as direções. Flâmulas coloridas tremulavam no alto de mastros de quarenta metros. A fachada do shopping era revestida de painéis de aço inoxidável. Ao refletirem a luz do sol, ofuscavam os olhos dos clientes – que, entorpecidos, moviam-se como lemingues na direção do enorme emaranhado de portas de vidro no topo de uma escada de mármore.

Estava ficando cada vez mais difícil para Chopra seguir o seu alvo, mas, por sorte, a altura do homem e a boina de cor chamativa simplificavam um pouco a tarefa. Ele agora observava enquanto o homem desaparecia dentro do shopping.

Chopra saiu correndo, puxando Ganesha pelo lance de degraus baixinhos. Na entrada, um guarda uniformizado o parou.

— Senhor, não pode entrar no recinto!

— Mas por que não? — perguntou Chopra, indignado.

O olhar do homem apontou para trás dele, como se a resposta para aquela pergunta fosse evidente.

Ganesha! Na empolgação da perseguição, Chopra quase tinha se esquecido de que naquele momento desfrutava da companhia de um elefante de duzentos quilos.

Ele olhou ao redor. A multidão fluía em volta deles, e algumas pessoas interrompiam seu avanço apressado rumo ao teatro dos sonhos para lançar um olhar curioso na direção do homem estranho e seu elefante. Ganesha havia vindo mais para perto; ele conseguia sentir o nervosismo do elefantinho. Chopra sabia que não poderia deixá-lo ali fora, em meio àquele mar de estranhos. O Dr. Lala disse que elefantes eram criaturas muito sensíveis. Ele imaginou como uma criança humana se sentiria ao ser deixada desamparada no meio de uma multidão. Não, ele não podia fazer aquilo.

— Saia da frente — Chopra disse ao porteiro. — Esta é uma questão oficial da polícia.

— Mas, senhor!

Chopra passou empurrando o homem e puxando Ganesha. Por sorte, as portas eram bem amplas e o elefante não teve problemas para atravessá-las. Atrás deles, dava para escutar o porteiro reclamando para um colega e os estalos de um rádio convocando reforços.

Lá dentro, o saguão era um amontoado de ruídos e movimento. Rock muito alto saía de alto-falantes ocultos. Havia elevadores de vidro subindo e descendo e um gigantesco aquário tropical. Uma cortina de água caía do alto sobre uma piscina de rochas. Pessoas se moviam em todas as direções, como cardumes de peixes – grupos de adolescentes, casais, famílias inteiras com bebês e avós a reboque. Havia malabaristas, maquiadores e até mesmo um engolidor de fogo vestindo um colante lustroso de couro vermelho. Parecia mais um parque de diversões do que um lugar para compras, pensou Chopra, horrorizado.

Ou um manicômio no qual os pacientes haviam tomado o controle.

De repente, sentiu um puxão no braço. Olhou para baixo. Uma criança pequena, que usava uma chamativa camiseta amarela da Nike e tênis com luzes vermelhas piscantes, olhou para ele com uma expressão hostil.

— Quero andar no seu elefante — ele disse.

— Esse elefante não é para montar — disse Chopra.

Um homem gordo de camiseta vermelha da Nike, tão chamativa quanto a da criança, e cabelos brilhantes com permanente, sobre os quais pendiam óculos escuros de grife, parou na frente dele.

— Vamos lá, amigo, meu filho quer andar no seu elefante. Quanto é?

— Esse elefante não é para montar — ele repetiu, de forma um pouco mais grosseira.

— Besteira — resmungou o gordo. — Quanto você quer? Cinquenta rúpias? Cem? O que meu filho quer, ele tem. Vamos lá, quanto é? Não venha negociar comigo porque não sou turista, você sabe.

— Saia da minha frente — gritou Chopra, passando pelo gordo com um esbarrão.

No meio do saguão uma série de enormes escadas rolantes ocupava posição de destaque. Ele avistou o homem de boina vermelha em uma delas, deslizando para o andar de cima.

Ele foi até o pé da escada rolante central e subiu. De repente, notou que algo o puxava para trás. Atrás dele, Ganesha havia plantado os pés no chão e deixava claro que não tinha intenção alguma de subir na escada que se movia.

— Vamos, garoto — resmungou Chopra, puxando a corrente e rapidamente subindo de costas os degraus, enquanto tentava manter o equilíbrio. Ganesha firmou os calcanhares e, com uma ligeira virada do pescoço, arrancou Chopra da escada rolante. O inspetor se espatifou no chão. Ganesha bufou e andou ainda mais para trás.

Ao redor deles, Chopra ouviu as pessoas rindo.

— Vamos, faz de novo! — alguém disse gargalhando, enquanto ele se levantava e sacudia o pó da roupa.

— Sim — disse uma mulher corpulenta com um sári cor-de-laranja vibrante —, faça aquele truque do elefante rolando.

— Não somos parte do entretenimento — resmungou Chopra, com a cara fechada. Ele se curvou e olhou Ganesha bem nos olhos. — Ouça, meu amigo — ele disse. — Preciso de sua ajuda. Não tenha medo. Não vou deixar nada de ruim acontecer com você. Pode confiar em mim.

Ele acariciou a cabeça de Ganesha e, então, virou, seguiu em frente... e logo foi derrubado mais uma vez.

Ele xingou para si mesmo.

O homem de chapéu vermelho tinha desaparecido no andar de cima. Ele sabia que não podia simplesmente largar Ganesha no saguão. Não havia alternativa. Teria que desistir da perseguição.

— Aqui, tente isso.

Chopra se virou. Um senhor de idade segurava uma barra de chocolate ao leite Cadbury.

— Não quero chocolate — ele disse, firme.

— Não é para você — disse o homem, com um sorriso gentil. — Quando eu era jovem, meu pai trabalhava no Circo Grand Kohinoor. Ele treinava os elefantes.

Chopra pegou a barra de chocolate e a examinou, desconfiado. O velho acenou positivamente para encorajá-lo. Ainda não muito convencido, partiu um pedaço e ofereceu a Ganesha. O elefante cheirou com a tromba, depois pegou o chocolate e colocou na boca. Ele piscou. Sua cauda balançou. Ele bateu as orelhas. Então, sacudindo a cabeça, esticou a tromba para pegar o resto da barra. Chopra a tirou do alcance dele, e então recuou até a escada rolante.

— Venha pegar, garoto.

Dessa forma, conseguiu persuadir Ganesha a subir na escada – que, como todo o resto daquele shopping, fora feita em escala gigantesca, larga o bastante para acomodar um nervoso bebê elefante. Enquanto viajavam até o andar de cima, gargalhadas estouravam ao redor deles.

No primeiro andar, Chopra seguiu a galeria de lojas e butiques de grife que estavam dispostas ao longo do shopping. Benetton, Nike, Burberry, Marks & Spencer, GAP, The Body Shop. De repente, chegou a uma enorme loja, cujos manequins na vitrine estavam vestidos com elegantes casacos de couro. Ele espiou o interior e avistou o homem de boina vermelha parado no balcão, batendo papo com uma das belas jovens vendedoras. Enquanto observava, um homem de terno bem cortado saiu dos fundos da loja. O homem de boina vermelha o levou para um canto, retirou um pacote de dentro da calça e entregou a ele.

Chopra teve uma ideia repentina do que havia no pacote. Dinheiro. Um monte bem grande de dinheiro. Para ele, toda a transação cheirava apenas a uma coisa: suborno. Mas pelo quê?

Os dois homens concluíram seu negócio e, depois de uma última olhadela galanteadora para a vendedora, o homem de boina vermelha foi embora.

Chopra se virou e fingiu estar olhando para a loja atrás dele, uma butique especializada em bolos. Imediatamente, uma vendedora correu para a porta e perguntou:

— Senhor, há alguma ocasião especial para a qual o senhor necessite de um bolo? Podemos fazer qualquer tipo de bolo que quiser. Em qualquer formato também. Até mesmo no formato de um elefante!

— Não, obrigado — resmungou Chopra.

O HOMEM QUE DEVIA ESTAR MORTO

O inspetor Chopra e Ganesha seguiram o homem de boina vermelha quando ele saiu do shopping. Em vez de retirar-se pelo saguão da frente, ele foi pelas portas dos fundos, que davam para uma grande passagem cheia de carros estacionados.

O homem de boina vermelha foi até o ponto de táxi, onde falou rapidamente com um motorista. Estava prestes a entrar no carro quando seu telefone tocou. Fez sinal para o motorista esperar e acendeu um cigarro enquanto conversava. Chopra olhou ao redor. Não tinha muito tempo. Não conseguiria continuar seguindo esse homem de jeito nenhum, a menos que...

Não muito longe dali, havia um homem esquelético de uniforme cinza e bermuda parado ociosamente ao lado de um pequeno caminhão com abertura traseira. Ao lado do veículo estava escrito MEGA-SHOPPING ATLAS ENTREGAS.

Chopra aproximou-se dele e disse:

— Assunto oficial da polícia. Estou confiscando seu veículo.

O motorista, que não era bobo, suspeitou de imediato.

— Se é policial — ele disse —, por que está com um elefante?

— É um elefante da polícia — disse Chopra.

— Conte outra, sahib — disse o homem. — A polícia não usa elefantes.

— Você já ouviu falar de cães policiais? — Chopra perguntou com seriedade. — Bem, este é um elefante policial.

O homem olhou para Ganesha com renovado interesse. Chopra olhou em volta. O homem de boina vermelha havia desligado o telefone e estava terminando de fumar seu cigarro, enquanto observava as garotas passando. Ocasionalmente, fazia comentários lascivos.

— Ouça — disse Chopra —, eu vou confiscar esse veículo. Se não me ajudar, vou levá-lo preso. Entendeu?

O homem ficou pálido.

— Está bem, está bem, não precisa ficar irritado, inspetor — ele respondeu. — Eu vou ter que prestar contas ao meu chefe, só isso. Se houver um só arranhão no veículo, eu perco meu emprego. Para onde você quiser ir, pode deixar que eu dirijo.

— Vamos colocar o elefante lá atrás. — O motorista abriu a porta traseira e, usando o restante do chocolate, Chopra atraiu Ganesha para a carroceria do caminhão. Terminaram bem a tempo.

Eles seguiram o táxi, que foi na direção dos bairros residenciais, passando por Ambedkar Chowk e entrando na rodovia Western Express. O táxi atravessou Bandra, Santa Cruz e Vile Parle até voltarem para Sahar. Assim que saíram da via expressa e entraram na Sahar Road, o táxi virou no antigo setor industrial que ficava atrás da fábrica abandonada da Gold Spot.

A imensidão de prédios abandonados estava destinada à revitalização e havia planos de se construir uma "via elevada" que ligaria o aeroporto internacional diretamente à estrada, mas o grandioso projeto estava atolado em burocracia e nas armações inescrupulosas de políticos.

O táxi se embrenhou pela zona decadente até finalmente parar diante do que parecia ser um galpão destroçado. Diretamente à sua frente havia outro prédio igualmente dilapidado.

O homem de boina vermelha saiu, pagou o motorista de táxi e entrou no galpão.

Chopra ordenou que o motorista do caminhão estacionasse na esquina, onde não podia ser visto, e esperasse. Deixando o motorista e Ganesha no caminhão, ele se posicionou no canto da viela para poder visualizar a frente do galpão.

Justo quando sentiu que era seguro entrar, o som de um veículo se aproximando o impediu. Enquanto observava, uma grande Mercedes branca com vidros escuros chegou chacoalhando pela via esburacada.

Parou na frente do galpão e esperou, com o motor ligado.

Depois de um tempo, o homem de boina vermelha saiu do galpão acompanhado de outros dois homens de aparência igualmente bruta. Um motorista com um imaculado uniforme branco saiu da Mercedes e abriu a porta de trás. Um homem saiu, vestindo um elegante terno branco e óculos escuros. Ele era alto, tinha cabelos pretos e curtos e pele morena clara. Seu rosto se distinguia pelo queixo longo, parcialmente coberto por uma barba rala. O homem deu um passo à frente. Chopra notou que ele usava uma bengala; parecia mancar da perna direita. Finalmente, o homem tirou os óculos escuros e olhou para o céu. Chopra ficou paralisado, em choque.

Aquele rosto! *Ele conhecia aquele rosto!* Era um rosto que não devia mais existir: o rosto de seu antigo nêmesis, o senhor do submundo do crime conhecido como Kala Nayak.

Um homem que Chopra havia matado nove anos atrás.

Poppy estava preparando um bolo. Ela seria a primeira a admitir que não era a mais talentosa das confeiteiras, mas aquela era sua atividade preferida mesmo assim, porque a ajudava a pensar, principalmente quando estava se sentindo ansiosa.

E, no momento, Poppy estava mais ansiosa do que jamais estivera na vida.

A ideia que havia lhe ocorrido ao conversar com Kiran em sua casa chique em Bandra já tivera tempo de amadurecer. Enquanto pensava nela mais uma vez, seu braço tornava-se um borrão que batia furiosamente a mistura de farinha, batendo, batendo e batendo um pouco mais.

Uma criança! Uma criança só dela! Era o que Poppy desejava, mais do que qualquer outra coisa em todo o mundo. E agora o destino havia jogado a oportunidade em seu colo.

Ah, mas como poderia? Como ela esperava conseguir isso?

Quando explicou o plano para Kiran, e depois para a filha dela, Prarthana, o fizera com uma sufocante sensação de incredulidade. Certamente não concordariam, ela pensou.

Mas fazia sentido, principalmente mediante os fatos que ela havia recebido.

A filha de Kiran estava gestando um filho ilegítimo. Não queria fazer um aborto, tampouco criar a criança, que, sendo assim, seria enviada para adoção. Poppy não tinha filhos, nem podia ter.... Por que, então, *Poppy* não podia ser a mãe da criança da filha de Kiran?

Não era melhor do que mandar a criança para ser criada por estranhos em algum orfanato pobre?

Afinal, Poppy não seria mesmo a tia-avó da criança? Evidentemente, Kiran logo se agarrou à possibilidade de salvar a honra de sua família. Ajudou a convencer a filha, que, embora não sem ressalvas, acabou relutantemente aceitando a praticidade notável da solução.

O problema, é claro, era Chopra.

Seu marido havia deixado claro que não cogitava uma adoção. Ela não entendia o motivo, mas o conhecia o suficiente para saber que, uma vez convencido de algo, não mudaria de ideia. Se ela tentasse falar com ele sobre adotar o neto de Kiran, se arriscaria a arruinar qualquer chance que tivesse de colocar seu plano em prática. Porque o plano de Poppy era o seguinte: ela ia fingir que estava grávida.

Durante nove meses, ela encenaria a farsa da gravidez. E então, quando o bebê nascesse, ela o apresentaria como seu.

Parecia, à primeira vista, absurdo; sempre que parava para pensar, seu coração disparava. Mas quando o considerava racionalmente, percebia que o plano não era tão incoerente assim.

Chopra era um investigador, mas, em assuntos desse tipo, os homens eram conhecidos por sua ignorância. Contanto que ganhasse um pouco de peso e fingisse enjoos matinais e mudanças de humor de vez em quando, ele acreditaria que ela estava grávida. Eles não estavam no Ocidente, afinal, onde os homens pareciam se envolver em todos os aspectos do que deveria ser uma experiência particular da mulher – e até assistiam ao parto, algo que Poppy considerava uma afronta à decência.

Sua mãe seria mais difícil de enganar, mas Poppy podia lidar com Poornima. Se necessário, viraria sua parceira resmungona na conspiração. Afinal, ela não reclamava há anos sobre o fato de sua filha não ter filhos?

Quanto ao nascimento propriamente dito, Poppy insistiria em uma parteira, como nos velhos tempos, e rejeitaria um parto em hospital. Ela insistiria em ir morar com sua boa amiga e prima Kiran nas últimas semanas. Kiran, que a essa altura, já teria se mudado para um pequeno chalé em Silvassa, nas proximidades de Mumbai, para ajudar a filha enferma a se recuperar de sua "doença". O bebê nasceria umas três semanas antes da data divulgada a todos; um nascimento prematuro. E então, finalmente, Poppy seria mãe.

Poppy acreditava que se tornar mãe também ajudaria a dissipar a sensação crescente de que havia algo errado em seu relacionamento com o marido. Ela o amava profundamente, mas, desde o ataque cardíaco, ele parecia cada vez mais distraído, até mesmo distante às vezes. Talvez isso fosse compreensível, tendo em vista a reviravolta em sua vida... mas havia outras mudanças em seu comportamento que ela estava achando estranhas.

Entre elas, por exemplo, os telefonemas misteriosos que ele vinha recebendo nos últimos meses. Sempre que recebia uma dessas ligações, ele pedia licença, mesmo que estivesse no meio do jantar, e se recolhia ao escritório. E, quando Poppy perguntava, ele simplesmente dizia: "assuntos da polícia". Mas nunca houve assunto da polícia que necessitasse de tantas ligações para sua casa e tanto segredo.

Poppy estava preocupada. E a resposta para suas preocupações, ela agora sentia, havia chegado por meio do bebê de Prarthana.

Ela parou e olhou para a parede, onde as fotografias emolduradas e enfeitadas com flores de seu pai e do pai de Chopra ficavam lado a lado.

— Estou fazendo a coisa certa? — ela perguntou aos dois veneráveis e há muito falecidos senhores.

Depois de um tempo, voltou a bater a massa.

Narendra "Kala" Nayak havia sido apenas um dos inúmeros criminosos que dominaram o submundo do crime de Mumbai no início da década de 1990. Na época, eles eram arrogantemente abertos a respeito de suas atividades e pareciam não temer as autoridades. Não era incomum que celebridades levassem um tiro na rua depois de se recusarem a pagar o dinheiro da extorsão ou que políticos locais fossem similarmente despachados quando um acordo ilegal saía errado.

Pelos padrões do submundo de Mumbai, Kala Nayak era um empresário. Havia sido o primeiro a passar do haxixe para a importação em larga escala de cocaína e, depois, de drogas sintéticas como ecstasy e LSD, alimentando o crescente mercado de coisas jovens e modernas nos novos e badalados bairros do subúrbio. Ele havia construído rapidamente uma rede de distribuidores, utilizando os pedintes e as marginalizadas transexuais da cidade, conhecidas como hjiras, além de homens dos segmentos mais pobres da sociedade. Ele havia se tornado incrivelmente rico, aparentemente da noite para o dia.

Mas tanto dinheiro atrai atenção, e não demorou muito para Nayak entrar em guerra com várias frentes – com a polícia, com as gangues rivais, com os políticos corruptos descontentes com os pagamentos mensais e até mesmo com os ambiciosos tenentes de sua própria organização.

Nayak havia deturpado a velha ordem e os mandachuvas que dominavam suas respectivas áreas com punhos de aço, lucrando à moda antiga – extorsões, apostas, prostituição e contrabando. Havia ousado e avançado para novos empreendimentos: imóveis, produção de filmes e comércio portuário, tudo deturpado de alguma forma para aumentar ainda mais seus sempre recheados cofres. Devido à sua ousadia e à sua recusa em negociar questões de território com outros chefes de gangues, Nayak havia pisado no calo de quase todo mundo que importava em Mumbai. Fez tantos inimigos que logo os inimigos de seus inimigos viraram seus inimigos.

Imprudente, Nayak continuou a expandir sua organização, espalhando seu dinheiro sujo por todos os lados. E onde o dinheiro não bastava para que as coisas fossem de seu jeito, ele recorria à violência. Em meados da década de 1990, ele estava no topo das listas de Mais Procurados, e fora declarado uma ameaça real à cidade de Mumbai em particular e ao país em geral.

Uma força-tarefa especial em escala municipal foi organizada para capturar Kala Nayak. Como suas fortalezas ficavam nos distritos de Sahar e Marol, Chopra foi destacado para trabalhar com a força-tarefa. Eles montaram um caso e foi emitido um mandado para sua prisão. Mas o gângster entrou em pânico e sumiu do mapa. Diziam que Nayak ainda estava na cidade; a busca começou.

Uma noite, quando Chopra estava trabalhando até tarde na delegacia, a hijra Anarkali foi falar com ele. Ela tinha informações sobre Nayak.

Com o passar dos anos, Chopra havia aprendido que pouca coisa acontecia nas imediações sem que Anarkali ficasse sabendo. Uma transexual musculosa de 1,83 metros em um sári roxo, ela era, ele ficou sabendo, uma pessoa inteligente e atenciosa, que fazia o melhor que podia diante das circunstâncias. Como a maioria das hijras, ela se metera no mundo dos pequenos delitos, mas Chopra sempre se dispôs a fechar os olhos para isso em troca de eventuais informações que lhe pudessem ser úteis.

Era uma das poucas concessões que ele fazia. Chopra, via de regra, não acreditava em ceder a casos assim.

Acima disso, no entanto, estava outra crença, uma crença que ele tinha praticamente desde o primeiro dia em que chegou a essa fantástica cidade: a crença de que Anarkali, como milhões de outros nos níveis mais baixos da sociedade de Mumbai, não passava de um produto da esmagadora pobreza em meio à qual havia nascido. Muitos anos antes, ele a havia encontrado sob a passarela do aeroporto onde vivia, espancada e à beira da morte, depois que um grupo de homens bêbados a violara. Ele a levou ao hospital, discutiu com o médico horrorizado, e pagou a conta com seu próprio dinheiro.

Seguindo a dica de Anarkali, naquela noite Chopra e uma equipe de policiais da delegacia de Sahar ficaram de tocaia em um velho galpão de roupas no coração da área conhecida como MIDC-SEEPZ – Maharashtra Industrial Development Corporation e Santacruz Electronic Export Processing Zone. A área era um amontoado de pequenas unidades industriais e, no decorrer dos anos, devido à preponderância das lucrativas operações envolvendo joias, havia se tornado uma incubadora da atividade criminal. Chopra e seus homens não eram estranhos ao movimento dessa região.

Depois de uma hora de tocaia, um rosto apareceu em uma das janelas do galpão. Kala Nayak!

Chopra não perdeu tempo e liderou sua equipe em um ataque geral ao prédio. Imediatamente, viram-se em batalha com os homens de Nayak. A troca de tiros se deu nos quatro andares do depósito; depois, repentinamente, iniciou-se um incêndio. Os policiais se retiraram e observaram o prédio arder em chamas.

Quando verificaram as cinzas, encontraram inúmeros restos carbonizados, incluindo um corpo com joias bem características, como as que Nayak era famoso por usar.

O caso foi fechado, e o inspetor Chopra recebeu logo depois o Kirti Chakra.

Com o tempo, outros ocuparam o lugar de Nayak, mas Chopra nutria uma grande satisfação pessoal por ter dado fim ao criminoso. Pois Kala Nayak não apenas levara uma onda de crimes à região que ele havia transformado em seu lar, mas também havia sido o responsável pela morte de um colega de trabalho e amigo próximo, o subinspetor Pereira, que morreu baleado por homens de Nayak uns dois anos antes. Pereira e Chopra haviam feito a escola de treinamento da polícia juntos; Pereira deixou esposa e três filhos adolescentes.

Chopra agora via o homem que acreditava ser Kala Nayak entrar no galpão. Todos os seus instintos o incitavam a se lançar sobre ele, mas de alguma forma conseguiu se conter.

Os minutos passavam. O suor se acumulava em sua testa e escorria pelas costas. Ele escutou Ganesha andando de um lado para o outro, fazendo barulho na carroceria do caminhão. Ouviu o motorista do caminhão sair do veículo e riscar um fósforo, e sentiu o cheiro pungente da fumaça de bidi.

Olhou no relógio. Quinze minutos!

Justamente quando ele havia decidido que não podia esperar mais, Nayak ressurgiu, seguido pelo homem de boina vermelha.

Trocaram palavras rapidamente e Nayak entrou na Mercedes. O veículo saiu, deixando para trás uma nuvem de poeira. O homem de boina vermelha seguiu-o em uma moto que tirou de dentro do galpão.

Chopra voltou ao caminhão.

— Vamos, vamos! — disse para o motorista, que agora estava agachado perto do pneu da frente.

— Sinto muito, sahib, mas não podemos ir a lugar nenhum — disse o motorista em tom melancólico. — Está furado.

Chopra olhou para baixo e viu o pneu murcho. Xingou em voz baixa e correu novamente até a esquina. Mas a Mercedes já havia desaparecido.

Maldição! Ele não tinha nem anotado a placa do veículo! Era o tipo de descuido pelo qual ele repreenderia com veemência um policial iniciante. Mas ele havia ficado tão desorientado com a reaparição de Nayak que não estava conseguindo pensar direito. Não havia mais nada a fazer, não agora. Pelo menos ele tinha a localização desse galpão, usado por Nayak para sabe-se lá o quê.

Agora ele precisava de tempo para pensar.

FINALMENTE CHEGA A CHUVA

O inspetor Chopra estava sonhando. Ele sonhava que estava dentro de um shopping center, um shopping center tão grande que ocupava o mundo todo. Era bem iluminado; tudo – paredes, chão, teto – brilhava com uma cintilante luz branca.

Enquanto perambulava pelo shopping, pessoas pulavam em cima dele, oferecendo pechinchas incríveis. *O senhor gostaria de comprar uma alma novinha em folha? Oferta especial, só essa semana, com dez por cento de desconto no cartão fidelidade.*

Ele chegou a um balcão comprido. Do outro lado do balcão, dava para ver a silhueta minúscula de um homem. Andou na direção dele; parecia demorar uma eternidade.

Finalmente, chegou até o homem, que estava de costas para ele e olhava para uma fileira de prateleiras que se estendiam até o infinito, repletas de pacotes brilhantes e indistinguíveis, de todas as formas, tamanhos e cores. O homem estava vestido de branco, mas tinha cabelos muito escuros.

— Com licença — disse Chopra —, pode me dizer onde estou?

O homem se virou e Chopra viu que era Kala Nayak. Nayak sorriu e, ao fazer isso, chamas surgiram ao redor do seu corpo. Mas ele não se queimou. Sorrindo no centro do fogo, como um guru maharishi, ele disse:

— Você não soube? Transformaram-me em um deus. O Deus da nova Índia. Você não pode me matar. Nada pode me matar.

Chopra acordou com o coração disparado dentro do peito. Por um instante, pensou que estava tendo outro ataque cardíaco..., mas então percebeu que as batidas não eram de seu coração – era a chuva batendo contra as janelas de seu quarto, tão forte que abafava até mesmo o barulho do aparelho de ar-condicionado.

Chuva! Finalmente a esperada monção havia chegado! Chopra sentiu uma avassaladora sensação de alívio. Ele havia crescido em um vilarejo rural, e, embora agora fosse um sujeito completamente urbano, algo dentro dele, alguma criatura dos campos, ainda ansiava pela inundação anual. Isso estava dentro de todo indiano, ele supunha. Essa conexão primitiva com o ritmo ancestral, o ciclo do plantio, inundação, colheita; o ciclo da vida no subcontinente.

Ele se levantou e foi até a sala. Ali, a chuva batia ainda com mais força nas janelas. Não era exatamente uma chuva, pensou Chopra. Era um dilúvio!

Camadas de água escorriam pelas vidraças, torrentes do líquido maravilhoso e revigorante, afastando o calor e a umidade do verão prolongado.

Tanta água causou-lhe sede, e ele pegou um copo de suco de laranja na geladeira.

Seus pensamentos se voltaram para o dia fora do comum que havia tido. Ele se deu conta de que os músculos de sua perna estavam doendo; toda aquela caminhada! Ele não andava tanto há anos. E as revelações, uma atrás da outra, que o surpreenderam e chocaram no decorrer do dia, culminando na inacreditável possibilidade de Kala Nayak ainda estar vivo.

Agora, na calada da noite, Chopra considerava a evidência que vira com os próprios olhos. Ele nunca havia duvidado de si mesmo antes, mas agora.... Aquele podia ser mesmo Nayak? Certamente, ele teria ficado sabendo antes, por meio de sua rede de informantes de rua, se Nayak tivesse, de algum modo, sobrevivido ao ataque da polícia, não teria? E como ele tinha conseguido escapar de qualquer jeito? De quem era o corpo que haviam encontrado usando os anéis e as correntes de ouro de Nayak? Um corpo carbonizado demais para ser identificado.

Convenientemente carbonizado demais?, Chopra agora se perguntava.

E se *fosse* Nayak, o que ele tinha a ver com a morte de um garoto pobre de Marol? Ou uma coisa não tinha nada a ver com a outra? Afinal, o que *realmente* os relacionava? Um cartão de visita? Uma boina vermelha? Havia ele juntado uma cadeia de evidências que, na verdade, tinha tantos furos quanto o roteiro de um filme B de Bollywood?

Chopra sacudiu a cabeça e foi até as janelas. Uma delas havia sido deixada aberta para ventilar o apartamento. Ele olhou para fora. Mal dava para ver alguma coisa, tamanha a ferocidade da chuva. Ele olhou para baixo. Estranho... O chão, quinze andares abaixo, parecia estar se movendo. Ele olhou com mais atenção. Não estava se movendo, estava *girando*.

A água estava subindo e inundava os fundos do pátio, com aquele declive estranho que fazia uma curva para baixo até a guarita, criando uma espécie de piscina rasa. Pobre Bahadur, pensou Chopra. Ele provavelmente teve que abandonar sua guarita e devia estar até agora tremendo no térreo, perguntando-se quando teria sua guarita de volt—

Chopra ficou paralisado. Ah, não. Certamente, Bahadur deve ter...?

Ele saiu correndo pela sala, derrubou o copo de suco – derramando um pouco no aparador antigo – e abriu a porta da frente. Ainda de bermuda e regata, correu para o elevador.

Que não estava funcionando.

Praguejando, voltou-se para a escadaria. *Quinze andares!* Ele nunca havia considerado aquilo um grande desafio, não para um homem que sempre se gabou de sua boa forma, mas agora parecia uma eternidade.

Chegou ao térreo, ofegante. Seu coração agora estava realmente disparado, perigosamente.

Ele encontrou Bahadur encostado na parede, no alto da escadaria do térreo, olhando fixamente, como se estivesse hipnotizado, para a água que subia rápido. Preta como tinta, ela já havia chegado ao quarto degrau.

— Bahadur! — Chopra disse, sem fôlego, massageando o peito. — Onde está Ganesha?

Bahadur olhou para ele sem entender. Ele já tinha sua resposta.

— Seu idiota! — ele gritou. Olhou para baixo. A água já estava no quinto degrau, subindo com rapidez. Aquilo correspondia a uns sessenta centímetros. Acrescentando mais sessenta centímetros do declive nos fundos do pátio, um metro e vinte. Quanto Ganesha tinha de altura? Um pouco mais de um metro? Talvez um metro e quinze?

Chopra sabia que não tinha muito tempo.

— Me dê a chave da corrente dele.

Bahadur acordou do transe e remexeu no bolso da calça. Seu rosto empalideceu.

— Sahib, eu deixei na guarita.

Chopra praguejou. Ele se virou e, sem hesitar, arrastou-se pela água.

Quando passou da entrada, ela já estava na altura da sua virilha. A água serpenteava em volta dele, comprometendo sua firmeza. Ele mal conseguia enxergar alguns metros à frente.

Quanto tempo os elefantes conseguiam ficar sem respirar debaixo d'água?

Ele conseguiu alcançar os fundos do pátio. De repente, escorregou ao chegar à parte do declive, caindo para a frente sobre a água. Ofegando, voltou a se levantar, jogando água para todo lado com os braços. Agora, o nível já se aproximava do seu peito. Chopra sentiu o pânico tomar conta de si, paralisando seus músculos. A realidade que ele estava se forçando a não admitir chegou com tudo: ele não sabia nadar.

Seria possível alguém se afogar no próprio pátio?

Ele respirou fundo e mergulhou. No alto, a lâmpada azul que Bheem Singh e Bahadur haviam pendurado nos fundos do pátio brilhava, iluminando a água ondulante com uma luz fantasmagórica. De repente, ele foi confrontado por uma visão estranha: parecia uma cobra equilibrando-se sobre a água pela cauda! A cobra estava se movendo de um lado para o outro, como se procurando alguma coisa ou dançando.

Não era cobra nenhuma, pensou Chopra. É o meu Ganesha. E se sua tromba está acima da água, o elefantinho ainda está vivo.

O pensamento tirou Chopra do estado de paralisia. Na esteira desse pensamento veio um outro, cortesia do Dr. Harpal Singh: " Ao contrário do que supõe o senso comum, os elefantes são tipicamente bons nadadores. Seu corpo grande provê uma flutuação excelente, e eles são capazes de utilizar as pernas musculosas para nadar longas distâncias com facilidade". Ele se agarrou a esse pensamento e seguiu em frente, saltando contra a corrente, usando seus poderosos braços para abrir caminho pela água, que já estava na altura de suas axilas.

Chopra chegou à guarita e forçou sua entrada. Sabia que Bahadur deixava a chave da corrente de Ganesha pendurada em um prego perto da porta. Rapidamente, Chopra procurou por ela. Não estava lá. *Droga!* Mas Bahadur também não estava com ela.... Havia apenas mais uma possibilidade. Respirando fundo, Chopra mergulhou embaixo d'água. Agachou-se e passou a mão pelo rodapé. Nada. Virou e movimentou-se ao longo da base da parede na outra direção. Sua mão bateu em alguma coisa, algo frio e metálico. *Era isso!*

Buscando ar, Chopra atravessou a superfície da água. Arrastou-se para fora da guarita e foi até o poste de metal ao qual Ganesha estava acorrentado. O elefante esticou a tromba e tocou no rosto dele. Ele tentou enrolá-la em volta de seu pescoço, mas Chopra a empurrou com firmeza. Tomando fôlego mais uma vez, voltou a mergulhar. Suas mãos encontraram a corrente. Estava bem esticada; Ganesha havia tentado sair, mas não teve força para arrebentá-la. Chopra tateou em busca do cadeado. Segundos preciosos foram perdidos enquanto ele tentava colocar a chave na fechadura, executando a ação às cegas... E então conseguiu. O cadeado se abriu e Ganesha apareceu.

Chopra empurrou-se para fora da água, que já chegava à altura de seu pescoço. Na ponta dos pés, ele foi abrindo caminho e deslizando até a parte da frente do pátio.

Ofegando e tremendo, ele se esforçou para sair da água e chegar ao patamar do andar térreo, arrastando Ganesha atrás de si, utilizando a corrente que estava em volta do pescoço do elefante.

Por um instante, ele simplesmente ficou ali parado, deitado de barriga para cima, ouvindo os erráticos batimentos de seu coração e as duras batidas da chuva sobre a água. Estava ciente do rosto preocupado de Bahadur sobre o seu, mas não conseguia ouvir nada do que o homem dizia. Estava cercado por um silêncio amniótico, como se alguém tivesse enfiado algodão em seus ouvidos. Ele virou sua cabeça. Ao seu lado, apoiado na parede, sobre as quatro patas, estava Ganesha. O elefante tinha fechado os olhos, e sua tromba estava enrolada com firmeza sobre o seu próprio rosto. Seu corpo tremia – se de pavor ou de frio, Chopra não sabia ao certo.

Depois de um tempo, ele se levantou.

— Vamos, garoto — ele disse. — Vamos aquecer você. — Parecia que Bahadur ia protestar, mas depois pensou melhor.

Chopra conduziu Ganesha até os elevadores. Estavam funcionando novamente, ele ficou feliz em ver. Também ficou feliz com o fato de o prédio ter elevadores tão amplos.

Eles desceram no décimo quinto andar. Chopra abriu a porta de seu apartamento e tentou conduzir Ganesha para dentro, mas o elefante ficou entalado na entrada. Sentindo uma oportunidade de compensar sua negligência anterior, Bahadur empurrou o traseiro do elefante com o ombro. Ganesha foi lançado para a frente e entrou no apartamento, levando uma parte do batente da porta junto com ele.

— Aqui, garoto — disse Chopra. Ganesha desmoronou no meio da sala, na frente do sofá, sobre o tapete persa falso de Poppy.

Chopra desabou no sofá. Ele se sentia completamente exausto. Um manto de escuridão tomou conta dele.

Instantes depois, tanto o homem quanto o elefante estavam dormindo profundamente.

ISSO NÃO É LUGAR PARA UM ELEFANTE

Na manhã seguinte, Poppy acordou e encontrou um elefante instalado em sua casa.

— Mas isso é ridículo demais! — ela criticou o marido. Poppy podia muito bem brigar para manter o elefante no condomínio, mas ter um animal selvagem bem no centro de sua sala de estar, sobre seu melhor tapete, como uma espécie de escultura viva, era outra história.

— Loucura — murmurou a mãe dela, que havia tomado um desagradável susto pela manhã, quando entrou na sala e tropeçou na criatura. — Louco, louco da cabeça. — O último insulto foi dirigido a seu genro, do qual sempre guardou rancor por não ser Jagirdar Mohan Vishwanath Deshmukh, proprietário de terras e ex-pretendente de sua filha.

A fonte de toda essa consternação estava encolhida no chão, enrolada nas mais quentes colchas de inverno de Poppy. Não parecia ter piorado depois da agitação da noite anterior. Mas de vez em quando, o elefantinho estremecia e, com uma fungada prévia com a tromba, soltava um espirro na sala. Havia um rastro de embalagens de chocolate ao leite espalhadas em volta dele, como se tivesse acabado de acontecer uma festa infantil.

Chopra olhou feio para a esposa e para a sogra.

— Este elefante está sob minha responsabilidade, assim como vocês duas. Se seu bem-estar requer que ele fique em minha casa por um ou dois dias, que assim seja. Não quero ouvir nem mais uma palavra sobre esse assunto — ele acrescentou com irritação, enquanto ia na direção de seu escritório.

Mais cedo, Chopra havia mandado Bahadur à vendinha do outro lado da rua para comprar chocolate. Bahadur voltou não apenas com o chocolate, mas também com um relatório sufocante do que estava acontecendo na cidade.

A chuva intensa havia inundado muitas partes de Mumbai. A quase delinquente ferocidade da monção fora tamanha que enchentes-relâmpago haviam tirado mais de uma centena de vidas. Corpos inchados jaziam no meio das ruas, como baixas de alguma guerra esquecida. Veículos foram abandonados em cruzamentos e no meio das ruas. Em alguns carros, havia cadáveres nos bancos, olhando sem expressão para o além vida. A água havia subido tão rápido que seus ocupantes não tiveram nem tempo de soltar o cinto de segurança antes de serem engolidos. Havia um clima de choque pela cidade; um silêncio estranho pairava sobre os shoppings e centrais de atendimento, nos escritórios envidraçados e nos restaurantes finos, nas favelas e nos arranha-céus. Pela primeira vez em sua existência, Mumbai ficou paralisada.

As autoridades eram lentas em reagir, e depois seriam apontadas como grosseiramente incompetentes, acusações que é claro descartariam como uma "reação exagerada". Afinal, não era todo dia que Mumbai era assolada por uma inundação tão severa.

No pátio abaixo, o sol forte já havia secado o concreto. Bahadur havia arrastado sua cama charpoy para o centro do espaço para secar ao sol. A cama de corda emanava pequenas nuvens de vapor, um símbolo poderoso da tempestade da noite anterior.

Chopra havia recebido inúmeras ligações de amigos ansiosos para falar sobre a chuva. Ele não considerava o assunto tão fascinante quanto muitos de seus conhecidos pareciam achar. Sua mente estava preocupada mais uma vez com os acontecimentos do dia anterior: Kala Nayak e o homem de boina vermelha.

Seu primeiro instinto foi entrar em contato com antigos colegas da polícia, principalmente Amit Ghosh, do Departamento de Detecção de Crimes. O DDC era especificamente responsável por lidar com o crime organizado na cidade. A mídia adorava chamar a unidade de "Esquadrão de Confronto de Mumbai", por conta de sua reputação de aposentar prematuramente conhecidos gângsteres em ocorrências com troca de tiros. Ele poderia perguntar a Ghosh se havia rumores sobre o ressurgimento de Kala Nayak. Mas, nesse caso, teria que explicar por que estava perguntando. Relutava a se colocar em uma posição passível de ridicularização por parte de seus antigos colegas. Imaginou como seria a conversa.

— Então você está dizendo que viu Kala Nayak?
— Sim.

— Está ciente que seu corpo foi identificado e cremado há nove anos?

— Sim.

— Havia alguma outra testemunha capaz de identificar Nayak?

— Não.

— Você obteve alguma evidência física? Uma foto, por exemplo?

— Não.

— Anotou o número da placa do veículo?

— Não.

Dava para imaginar os olhares que seriam trocados por seus antigos colegas. Dava para imaginar o que pensariam. Chopra era um bom policial, sincero e comprometido com o dever. Agora está aposentado e, como muitos que se aposentam antes do tempo, ele está lutando para lidar com as novas circunstâncias de sua vida. Talvez esteja em busca de atenção, de algum meio de permanecer *envolvido...*

Não, Chopra não conseguia encarar a possibilidade de seus colegas pensarem isso dele. Tudo o que havia conquistado na vida seria desfeito. Eles lembrariam dele não como o bom policial que fora, mas como o indivíduo patético que viu o fantasma de Kala Nayak.

Pouco antes do almoço, alguém bateu com força na porta da frente. Chopra abriu e encontrou a Sra. Subramanium bem à sua frente, com Bahadur espiando nervosamente sobre o ombro da mulher.

— Sr. Chopra — disse a Sra. Subramanium em tom cerimonioso. — Fiquei sabendo de uma coisa muito perturbadora. Ouvi dizer que o elefante que o senhor insistiu em alojar no pátio – indo contra o regulamento do condomínio, devo acrescentar – foi agora trazido para dentro do prédio propriamente dito. Na verdade, ouvi dizer que essa criatura se encontra atualmente dentro deste apartamento. — Sua voz parecia indicar uma profunda incredulidade.

— A senhora escutou bem — respondeu Chopra, calmamente. Não era a primeira vez que ele achava que a Sra. Subramanium, com seus cabelos curtos e postura sisuda, lembrava Indira Gandhi.

Quando jovem, Chopra admirara imensamente a Sra. Gandhi, mas então veio a declaração de estado de sítio, quando ela, após ser acusada de fraude eleitoral nas eleições de 1971, recusou-se a renunciar e impôs a concentração de todos os poderes na presidência, ordenando a prisão de seus oponentes. Aqueles foram anos negros, durante os quais a polícia, sob ordens de defender a posição do governo central, desfrutou de poderes extraordinários para deter cidadãos comuns e garantir que fosse cumprido o toque de recolher. Chopra conheceu muitos policiais que apreciaram imensamente os novos poderes e cometeram terríveis atos de injustiça simplesmente porque sabiam que não aconteceria nada com eles. Ele mesmo, na condição de jovem policial, com frequência se viu em situações nas quais, sentia, havia comprometido seus próprios ideais. Ele nunca mais se esqueceu daquela época, e nunca perdoou a Sra. Gandhi.

Para sua surpresa, a Sra. Subramanium não rebateu sua resposta com um longo discurso, como ele meio que esperava que ela fizesse. Em vez disso, simplesmente franziu os lábios e disse:

— Por favor, saia da frente, senhor.

Chopra viu-se saindo automaticamente da frente dela.

A Sra. Subramanium entrou no apartamento. Parou assim que avistou Ganesha. Apenas a cabeça do elefante estava visível de dentro do iglu de colchas empilhadas sobre seu corpo. A Sra. Subramanium parou na frente do filhote e olhou para ele. Ganesha inclinou a cabeça para cima, como se estivesse determinado a olhar diretamente nos olhos reprovadores da mulher.

— Isso é completamente inaceitável, Sr. Chopra — disse a Sra. Subramanium, finalmente. — Completamente inaceitável. Não consigo nem começar a citar quantos itens do regulamento estão sendo desrespeitados aqui.

— Por favor, explique a ele! — disse Poornima Devi, que apareceu de repente sobre o ombro da Sra. Subramanium. — Ele não quer nos escutar. Essa criatura quase me matou pisoteada hoje de manhã!

— O elefante quase se afogou ontem, Sra. Subramanium — disse Chopra, ignorando a sogra. — Eu não podia deixá-lo no pátio inundado, então trouxe-o aqui para cima.

— É um animal — disse a Sra. Subramanium com severidade. — Um animal estúpido. Se seu destino era morrer na chuva, que assim fosse. O lugar dele não é dentro do *meu* prédio.

— Não, Sra. Subramanium, nada disso! O destino dele é *outro*! — Poppy havia saído do quarto e se materializado na sala. Ela estava com os olhos semicerrados e os braços cruzados, olhando feio para sua inimiga. — Esse elefante é um ser vivo. É uma representação de nosso deus Ganesha. O pobrezinho quase morreu ontem à noite. Agora está muito, muito doente. E é bem-vindo para ficar na *minha* casa pelo tempo que quiser.

— Mas não é bem-vindo por *mim*, Sra. Chopra — resmungou a Sra. Subramanium. — Ele é um perigo para as crianças, é uma ameaça à higiene, é um risco para a segurança de nossa infraestrutura, é um…

AAAAATCHIIIIIIM!

O espirro reverberou pela sala. A Sra. Subramanium ficou paralisada. Aos poucos, o eco do monumental espirro foi desaparecendo. A Sra. Subramanium olhou para o seu sári, e não gostou nada do que viu.

— Criatura imunda, imunda! — reclamou. Sem dizer mais nada, deu meia-volta e saiu da sala, parando apenas para resmungar: — Esse assunto ainda não está encerrado, Sr. Chopra. Isso passou dos limites.

Depois que a Sra. Subramanium saiu, Poppy serviu o almoço. Chopra a observava atentamente.

— Você estava falando sério? — ele perguntou, depois de um tempo. — Sobre Ganesha poder ficar o tempo que precisar?

— Bem, se a Sra. Subramanium pensa que pode me dizer o que fazer em minha própria casa, está completamente enganada. — Ela largou pesadamente um prato fumegante de brinjal curry sobre a mesa e voltou para a cozinha. Chopra observou-a saindo e pensou que ela nunca havia estado assim tão magnífica.

Depois do almoço, Chopra foi para o seu escritório. Da cristaleira, retirou a medalha que havia recebido nove anos atrás, após a batida policial que culminara na morte de Kala Nayak. *Suposta* morte. O Kirti Chakra era uma honraria importante para qualquer policial, particularmente para um policial relativamente jovem, como ele era na época. Mas o prêmio também era um reflexo do sério problema que Nayak representava para a cidade, para o estado e até mesmo para o país. Embora tivesse tentando não dar muita importância à medalha, como era de sua natureza, Chopra nutria uma discreta satisfação pelo reconhecimento. Ele tinha orgulho de ter ajudado a acabar com Nayak e sua gangue, de ter ajudado a transformar a cidade que amava em um lugar mais seguro. Agora, sentia-se uma fraude.

Ele voltou a pensar naquela noite, uma noite muito quente e úmida do mês de outubro, logo depois do fim da temporada de chuvas. Ele se lembrava de vigiar o lado de fora do prédio sobre o qual Anarkali, a hijra, havia lhe falado, esperando Nayak e seus homens revelarem seus movimentos. Ele se lembrava de ver o rosto de Nayak na janela. Mas agora, ao recordar disso tudo, ele pensou: Por quê? Por que, estando Nayak escondido, ele iria até a janela e passaria quase um minuto lá, fumando um cigarro? Analisando em retrospecto, parecia um gesto abertamente deliberado. Era como se Nayak estivesse garantindo que fosse claramente identificável para qualquer um que o visse de algum ponto de observação abaixo.

Será que ele sabia que eles estariam ali? Teria plantado a informação nas ruas, sabendo que acabaria chegando às autoridades? E lá dentro, no caos do tiroteio, quem realmente *viu* a morte de Nayak? Ao relembrar novamente as reuniões que havia feito com seus homens depois do ocorrido, parecia que alguns policiais alegaram ter visto Nayak no meio da troca de tiros. Mas o próprio Chopra esteve no meio do caos, e ele mesmo teria dificuldade para dizer exatamente o que vira no meio de todas aquelas balas e da fumaça do incêndio.

E o incêndio.... Eles nunca chegaram a descobrir quem o iniciou. Certamente, o prédio pareceu ser tomado pelas chamas muito rapidamente – uma rapidez muito suspeita, ele agora pensava. Seria possível que tudo aquilo, do começo ao fim, tivesse sido orquestrado pelo próprio Nayak? Que o propósito da operação fosse permitir que Nayak desaparecesse, deixando para trás um corpo carbonizado, um impostor enfeitado com as suas joias?

Chopra pegou a fotografia emoldurada de seu pai que ficava sobre a mesa. Ela mostrava Masterji com seus dois filhos, sob um pé de lichia no pátio empoeirado do complexo do vilarejo. A árvore fora uma constante na infância de Chopra. A foto havia sido tirada na ocasião do casamento de Jayesh, seu irmão mais velho. Jayesh estava vestido de noivo; Chopra também parecia resplandecente em seus trajes cintilantes. Seu pai usava as vestes de costume, uma kurta sóbria com dhoti, um colete de professor. Ele tinha as mãos sobre os ombros dos dois filhos. O orgulho era evidente, preenchia a imagem.

Chopra se levantou e ficou andando pelo cômodo. Sabia que estava agitado e sabia que aquele não era um bom estado mental para quem esperava conduzir qualquer tipo de investigação. Para se acalmar, voltou a sentar e pegou o diário que havia encontrado na casa de Santosh Achrekar. Considerava-o uma espécie de talismã, um guia que o mantinha ligado a seu verdadeiro objetivo – encontrar o assassino de um rapaz pobre de Marol.

Ele repassou o diário, procurando por algo que pudesse ter deixado passar. Mas as anotações continuavam superficiais ou enigmáticas: "OMSN – como desmascará-los?".

Enquanto passava as páginas, notou um pedaço de papel branco saindo da parte interna da capa de couro do diário. Ele pegou o papel e o desdobrou. Nele, havia nomes e números.

Dilip Phule	Rs. 800.000
Ritesh Shinde	Rs. 750.000
Sanjay Kulkarni	Rs. 900.000
Ajit Kamat	Rs. 750.000
Suresh Karve	Rs. 700.000
Shabbir Junjunwalla	Rs. 800.000
Chandu Pandit	Rs. 800.000
Anthony Gonsalves	Rs. 700.000

Chopra ficou espantado. Imaginou imediatamente o que a lista representava; já tinha visto algo parecido antes, muitos anos atrás, retirado do bolso de um membro do submundo... Ele tinha certeza de que se tratava de uma lista de suborno.

E os indivíduos identificados nessa lista deviam ser oficiais de alta hierarquia para merecerem pagamentos de mais de sete laques de rúpia!

Ele se lembrou do bolo de dinheiro que tinha visto o homem de boina vermelha dar ao dono da loja de artigos de couro do Mega-Shopping Atlas. Parecia que ele estava certo ao deduzir que aquilo era dinheiro de suborno. Será que o nome do lojista era um dos que estavam na lista? Por que ele precisava ser subornado? E a pergunta mais importante era: o que essa lista estava fazendo dentro do diário de Santosh Achrekar? O que esses nomes tinham a ver com sua morte?

As respostas para todas essas perguntas, Chopra suspeitava, estavam com o homem que ele acreditava ser Nayak. Os nomes na lista só podiam ser de homens que Nayak havia subornado.

Mas quem eram eles? Os nomes não soavam familiares para Chopra. Certamente não eram de policiais de alta patente que ele conhecesse. Mas ele também não conhecia todos os policiais de Mumbai. E por que haveriam de ser nomes de policiais? Talvez fossem de funcionários da alfândega ou da receita federal. Por que não de juízes do supremo tribunal ou de ministros do governo? Havia muitos homens que alguém como Nayak precisaria subornar para preparar o seu terreno de operações para quaisquer que fossem as atividades ilegais em que estivesse metido.

E de alguma forma, Chopra tinha certeza, essas atividades haviam levado à morte de Santosh Achrekar.

Outra coisa também era certa: Chopra agora tinha nas mãos evidências convincentes de que a morte de Santosh não era apenas um simples crime passional ou uma briga de amigos que foi longe demais. O que o deixava com a seguinte dúvida: o que vinha depois? Bem, ele tinha uma boa pista.

O inspetor (aposentado) Chopra tomou sua decisão:

— Vou sair um pouco — ele gritou para Poppy enquanto saía pela porta da frente.

Depois que Chopra saiu, Poppy se viu sozinha no apartamento com Ganesha. Sua mãe, exasperada pelos eventos matutinos, descera ao décimo-primeiro andar para compartilhar sua infelicidade com a amiga Lata Oja. Poppy percebeu que foi subitamente tomada por uma estranha sensação de nervosismo. A invasão injustificada da Sra. Subramanium forçou nela uma reação automática, mas agora, diante da realidade um tanto quanto surreal de haver um elefante em sua sala de estar, ela se sentia sem chão. O que Chopra esperava que ela fizesse? Afinal, o que ela sabia sobre elefantes? Aliás, o que *ele* sabia sobre elefantes? Sério, seu marido conseguia ser tão sem noção às vezes!

E, então, algo curioso aconteceu. Enquanto o pequeno filhote continuava a fungar e espirrar encolhido sob as cobertas, a própria imagem do sofrimento, Poppy sentiu seus instintos maternos, há tanto tempo suprimidos, entrando em ação. Talvez fosse influência das ideias recentes sobre o bebê da filha de Kiran, mas ela foi tomada por um desejo repentino de cuidar do bebê elefante que seu marido havia levado para dentro de casa.

— Certo, rapazinho — ela disse com determinação. — Comecemos pelo início: vamos deixar você limpo.

Ela pegou uma larga tina de metal na despensa e encheu com água bem quente do banheiro. Dentro dela, colocou um pouco de sabão com perfume de limão e meio frasco de sua essência de banho preferida. Arrastou a tina para a sala e a colocou diante de Ganesha, que a observou com um olhar repentino de apreensão. Poppy então tirou todas as cobertas de cima do elefantinho e forrou com plástico o tapete que, mentalmente, já tinha jogado no lixo. Pegou no banheiro sua maior escova de esfregar e começou a trabalhar.

Primeiro lavou as costas e as laterais do corpo de Ganesha.

— Pare de se mexer — Poppy disse ao elefante com firmeza, enquanto ele se contorcia. Ela limpou suas patas e o traseiro. Esfregou os pés e os grandes dedos quadrados, que estavam cobertos de lama. Por fim, limpou seu rosto, esfregando até a tromba. — Não reclame — ela disse enquanto Ganesha bramia, reclamando, tentando afastar a tromba o máximo que pudesse. — É para o seu próprio bem.

Quando ela terminou, Ganesha mergulhou a tromba na tina, sorveu o que restava da água ensaboada e jogou tudo sobre ela.

Ela ficou ali parada, engasgando, e depois enxugou a água do rosto. Olhou feio para o elefantinho, que retribuiu com um olhar rebelde.

— Rapazinho, se você acha que *isso* vai livrar você dessa, não conhece a Poppy muito bem!

Ela entrou no banheiro e voltou com uma toalha grande de algodão com a qual secou Ganesha com força. Depois, pegou um frasco de óleo de mostarda e o esfregou na cabeça de Ganesha.

— Minha mãe diz que é muito bom — ela afirmou. — Ela tem sessenta anos e ainda tem a pele de um bebê.

Finalmente, ela pegou um pequeno tubo plástico de Vick Vaporub.

— Isso vai curar seu resfriado rapidinho — ela disse. Ganesha cheirou o frasco com a tromba; seus olhos palpitaram em alarme. Ele tentou ficar em pé, mas Poppy evitou que ele fugisse dizendo com firmeza um categórico: — SENTE!

Ganesha encolheu-se em silêncio enquanto ela cobria sua tromba com o bálsamo fedorento.

Finalmente, com seu trabalho finalizado, Poppy se limpou, trocou de roupa e preparou um bule de chá. Ela se sentou no sofá. Ganesha olhou para ela com cautela.

— Agora — disse —, ao que vamos assistir?

BASANTI VOLTA À ESTRADA

Enquanto isso, o inspetor Chopra havia ido até a oficina de seu amigo Kapil Gupta. As ruas de Mumbai estavam gradualmente voltando a ficar cheias. Como se fossem caranguejos emergindo da areia depois da maré baixar, os moradores locais reivindicavam a cidade. A chuva tinha instantaneamente destruído a maior parte da superfície das ruas, e os infames buracos de Mumbai reapareceram, contribuindo com os problemas do trânsito. Havia um cheiro curioso no ar: um doce aroma de flor de jacarandá e poeira, como se a própria terra o tivesse exalado. Ou talvez fosse o cheiro da morte.

Cem mortos, pensou Chopra. E ainda assim, em uma cidade de vinte milhões de habitantes, o que isso representava? Quase nada.

Não, ele disse a si mesmo. Mesmo uma única morte tem significado para aqueles que se importam, e mesmo para os que não se importam. Mesmo uma só morte exige algo de todos nós.

A oficina de Kapil estava cheia. A chuva havia danificado muitos veículos. Chopra encontrou seu velho amigo soterrado em meio aos clientes enraivecidos.

— Isso é extorsão! — berrou um.

— É um roubo! — rosnou outro.

— Exploração descarada! — rugiu um terceiro. — Se estivéssemos em guerra, você levaria um tiro.

— Que bom que não estamos em guerra com ninguém, então — respondeu Kapil, gentilmente.

Ao avistar Chopra, ele saiu do meio da multidão enfurecida.

— Qual a razão de tanta confusão? — perguntou Chopra.

— Decidi aumentar meus preços temporariamente.

— Mas com todo os danos causados pela chuva você deve estar cheio de clientes.

— Exatamente — disse Kapil, abrindo um largo sorriso sob o bigode. — Depois da tempestade, sempre vem a bonança, certo?

Chopra sorriu e então disse:

— Vim buscar a Basanti.

— Que Shiva tenha piedade! — exclamou Kapil. — Pensei que esse dia nunca chegaria.

Ele conduziu Chopra até os fundos da oficina, onde uma lona azul cobria um objeto oculto. Sem mais cerimônia, tirou a lona.

— Aqui está, meu velho amigo. Ajustada e pronta para usar.

Chopra respirou fundo. Ele sentiu aquela velha empolgação brotar em seu peito. Basanti! Depois de todos aqueles anos!

A Royal Enfield Bullet brilhava. Com suas quinhentas cilindradas de potência desenfreada, a moto estava ali como um leão pronto para atacar, a própria personificação da força mecânica. Seu bulboso tanque de gasolina preto brilhava como a carapaça de um besouro gigante; os pneus enormes pareciam capazes de conquistar o Himalaia.

Ele se lembrou de quando a comprou. Poppy ainda andava na garupa, e eles cortavam por toda a cidade: iam até a praia de Juhu para tomar raspadinha de kokum ou até Nariman Point para comer bhel puri no Chowpatty e andar pelo calçadão curvo e cercado de palmeiras da Marine Drive, conhecida como o Colar da Rainha, observando o sol se pôr sobre o Mar Arábico. Naquele tempo, Poppy ficava tão entusiasmada quanto ele com a potência da moto, com a sensação de estarem montando um garanhão selvagem. E então, em um instante maluco, tudo mudou. Maldito seja aquele carroceiro!

Pouco depois, quando Chopra voltou do hospital com a perna engessada, Poppy disse que nunca mais subiria na máquina infernal, e passou a perturbá-lo incessantemente, exigindo que se livrasse dela. Por fim, ela o fez prometer que daria a motocicleta a alguém.

Mas agora, pensou Chopra, era hora daquela penitência voluntária acabar. Era hora de Basanti cortar as ruas de Mumbai mais uma vez.

Chopra estacionou a Enfield no pátio. Bahadur correu para examiná-la, com os olhos brilhando.

— Se a dona Poppy perguntar — disse Chopra —, esta moto *não* é minha.

— Sim, senhor! — disse Bahadur. — A moto do senhor Chopra não é do senhor Chopra.

Em seu apartamento, Chopra encontrou Poppy e Ganesha vidrados em uma novela a respeito dos sofrimentos pelos quais uma mulher recém-casada passava por causa da sogra e sua nova família. Essa parecia ser a mais nova mania em Mumbai – novelas familiares. Poppy e sua mãe estavam viciadas nelas. E, agora, parecia que o mais novo morador da casa também havia sido apresentado aos melodramas exagerados.

Chopra sacudiu a cabeça com tristeza e foi para o escritório. Ele tinha que terminar os preparativos.

De baixo do armário, retirou uma caixa de aço trancada. Dentro da caixa havia uma arma embrulhada em tecido impermeável. Era a arma de trabalho sobressalente de Chopra, que ele deveria ter devolvido ao arsenal da polícia, coisa que nunca fez. Ele não atirava com ela há anos, não precisara. Seu trabalho tinha ficado cada vez mais restrito às tarefas administrativas. De certa forma, aquilo era um alívio, já que havia lhe dado tempo para se concentrar nos aspectos mais estratégicos da polícia local. Mesmo assim, ele frequentemente se pegava desejando, ansiosamente, voltar aos velhos tempos, quando podia sair pelas ruas e sujar as mãos com a parte mais dura de uma investigação.

Com muito cuidado, Chopra limpou o revólver. Primeiro o desmontou e removeu a gordura do chassi, esfregando-o com uma escova de náilon. Limpou todas as partes, depois as lubrificou com óleo, prestando atenção principalmente às superfícies de contato dos pinos do percutor e do gatilho. Então, remontou o revólver e o carregou com balas calibre .32. Ele sabia que a arma era antiquada, um revólver Anmol de cano longo que só comportava seis balas. Entretanto, sempre o preferiu aos novos revólveres automáticos alemães que seus colegas agora escolhiam. Havia algo de reconfortante no ar *tradicional* do Anmol.

Depois, pegou no armário uma sacola de pano. De dentro dela, tirou um binóculo de alta precisão e uma câmera digital, que Poppy havia lhe dado de aniversário dois anos antes e ele nunca tinha usado.

Limpou o binóculo, verificou se as lentes ainda focalizavam direito, e então sentou e leu o manual de instruções da câmera. Por fim, carregou a bateria e praticou, tirando fotografias. Quando ficou satisfeito e achou que seus preparativos estavam concluídos, colocou a arma, o binóculo, a câmera e o tripé em uma mochila. Ficou parado por um momento, pensando. Então, acrescentou à bagagem um banquinho dobrável de metal, um bloco de anotações e seu cachimbo calabash.

Chopra examinou seu relógio. Ainda havia muitas horas pela frente até que pudesse colocar seu plano em ação.

Ele voltou para a sala, onde Poppy e Ganesha agora assistiam a um filme qualquer de Bollywood estrelado pelo ídolo dela, Shah Rukh Khan. Shah Rukh estava dando uma boa surra no vilão propositalmente caricato, mas, de vez em quando, fazia uma pausa para uma de suas tiradas cômicas. Poppy tinha colocado uma grande tigela de *chips* de banana no chão. De vez em quando, sem tirar os olhos da tela, tanto sua esposa quanto o elefantinho pegavam os *chips* e levavam à boca. Não querendo incomodá-los, Chopra pegou o jornal no aparador e voltou para o escritório.

CHOPRA SAI PARA UMA TOCAIA

No dia seguinte, o inspetor (aposentado) Chopra acordou pouco antes do amanhecer. Depois de se vestir com pressa, ficou olhando por um instante para a esposa adormecida. Pensou: não é tarde demais para contar a ela onde estou indo. Mas ele sabia que Poppy faria um estardalhaço.

No fim, ele simplesmente saiu, fechando a porta do quarto com cuidado.

Na sala, Ganesha também estava acordado. Poppy havia deixado uma pequena tina cheia de água ao lado dele, que agora já estava vazia. Havia uma outra tina a postos para o caso de Ganesha sentir a necessidade de exercitar o intestino.

Chopra passou a mão na cabeça do elefantinho.

— Bom garoto — ele murmurou. Ganesha levantou a tromba e acariciou o rosto de Chopra, como um cego passando os dedos sobre os traços faciais de um amigo.

— Preciso ir — disse Chopra. Ele foi para o escritório e pegou a mochila.

Lá embaixo, descobriu que Bahadur, que deveria estar em seu posto na guarita, dormia profundamente em sua cama, ainda no centro do pátio.

Chopra subiu na Enfield e ligou o motor, o que fez o guarda sonolento acordar de imediato com um pulo, tremendo de susto.

Enquanto ele saía do condomínio com o motor roncando, deixando uma nuvem de fumaça de escapamento para trás, o dia nascia. Na mesquita Al Noor, ali perto, o som do chamado do imame Haider para as preces matinais pairava sobre a cidade.

Quando Chopra chegou ao galpão, parou na mesma esquina onde havia espionado anteriormente o homem que acreditava ser Kala Nayak. Esperou durante vinte minutos, mas não havia nem sinal de vida. Então, ele rapidamente foi de moto até o prédio abandonado que ficava bem em frente ao galpão. Nos fundos, encontrou uma porta de madeira podre.

Chopra chutou a porta e empurrou a Enfield para dentro. Deixou a moto perto da porta e entrou no prédio abandonado, que parecia ser uma antiga gráfica. Nas paredes arranhadas e com tinta descascada, Chopra viu primeiras páginas amareladas e emolduradas do *Maharashtrian Weekly Samachar*, um jornal que ele se lembrava de ter surgido uns dez anos atrás e que rapidamente foi à falência.

No terceiro andar, onde havia um grande espaço aberto – no qual, Chopra imaginou, uma grande equipe de repórteres e editores um dia trabalhou–, ele abriu seu banquinho dobrável diante das janelas enormes e rachadas que davam para o galpão do outro lado. Pegou a câmera e a instalou no tripé. Refletiu sobre limpar ou não os vidros, sujos com décadas de poeira, mas resolveu deixar como estava. Não queria alertar ninguém sobre sua presença. Sentou-se no banquinho, pegou o bloco de notas, verificou a hora no relógio e fez uma anotação. Depois, ficou esperando.

Fazia muito tempo que Chopra não ficava de tocaia. Não era uma tática utilizada com frequência pela polícia de Mumbai, simplesmente porque a grande quantidade de pessoas nas ruas a qualquer hora do dia ou da noite transformavam mesmo uma vigília de sucesso em um imprevisível jogo de erros e acertos. Mas ele havia se dado conta de que, sem outras pistas para perseguir, sua melhor opção era simplesmente contar com um pouco de sorte. Ele sabia que tinha visto Nayak e o homem de boina vermelha entrando naquele galpão. Sua aposta era de que um deles, ou ambos, voltasse. No mínimo, ele poderia ter uma ideia da *razão* de terem estado ali. Até mesmo isso poderia fornecer uma pista, algo que servisse para ele dar continuidade à sua investigação da morte de Santosh Achrekar. Apesar do reaparecimento de Nayak, Chopra não se esquecera de que havia feito uma promessa aos pais do rapaz assassinado. Quem quer que tivesse matado Santosh deveria ser levado à justiça.

Uma hora havia se passado e o sol continuava a subir, aquecendo o local. Às 7h04, Chopra notou os primeiros sinais de vida.

Um homem baixo e magro, com cara de rato, vestindo o uniforme azul da seleção indiana de críquete com o número oito nas costas, saiu do galpão, espreguiçou-se com um bocejo e depois parou perto do prédio para urinar. Um cão vira-lata veio mancando pela viela. O homem com cara de rato chamou o cachorro e, quando ele se aproximou, deu um chute forte na lateral de sua cabeça, rindo alto. O cachorro fugiu, uivando dolorosamente. O homem voltou para dentro.

Pouco depois, saiu de novo, dessa vez acompanhado por um homem alto, robusto e barrigudo que vestia uma espalhafatosa camisa cor-de-laranja. Os dois sentaram-se sobre caixotes velhos e pegaram cigarros, que o homem robusto acendeu com um isqueiro dourado, cujo formato era o de uma mulher curvilínea. Eles conversaram um pouco. Suas vozes chegavam até Chopra, que os observava com seu binóculo por um buraco no canto de uma das janelas. Mas a conversa era trivial, sobre filmes, amigos, suas prostitutas preferidas...

Depois de um tempo, voltaram para dentro do galpão.

Por volta do meio-dia, a gráfica abandonada, cujo telhado era de zinco, havia esquentado consideravelmente. Chopra já estava suando profusamente e sentindo-se cada vez mais desconfortável. Era como se aquela chuva tivesse caído há muito tempo. Mumbai estava novamente abafada.

De repente, ele captou de canto de olho uma movimentação. Surpreso, quase caiu do banquinho. Mas era apenas um lagartinho que fora investigar o intruso. Uma hora depois, ele recebeu a companhia de mais um, depois de outro, até que toda a família havia saído de seus esconderijos e se posicionado na parede, em volta das janelas. Chopra conteve o pânico que ameaçava tomar conta de si. Os lagartos silenciosos lhe davam calafrios, mas ele sabia que precisava se tranquilizar.

Para acalmar os nervos, pegou o cachimbo calabash e colocou na boca.

No meio da tarde, deu-se conta de que havia cometido um erro de principiante. Apesar da meticulosa preparação, deixara de providenciar duas coisas cruciais: comida e água. Perto das 16h, seu estômago roncava alto o bastante para acordar os mortos e sua boca estava seca. Mas não havia nada a fazer. Ele não podia abandonar seu posto; simplesmente teria que aguentar. Ouviu outro som e se virou. Era o cão manco da rua abaixo. O animal se aproximou dele com cautela, talvez esperando outro chute. Quando percebeu que Chopra não ia bater nele, começou a cheirar sua mochila.

Mas não havia nada para comer.

Ele acomodou-se perto de Chopra, fazendo-lhe companhia em silêncio durante sua vigília.

Não aconteceu mais nada no resto do dia. Os dois capangas apareciam do lado de fora do galpão de vez em quando para urinar, fumar ou esticar as pernas, mas, fora isso, não houve outros acontecimentos. Ele tomou um pequeno susto quando Poppy tentou ligar para o seu celular. Chopra tinha esquecido de colocar o telefone para vibrar, e as notas de "Vande Mataram", a canção nacional da Índia, ecoaram altas por todo o espaço vazio, que parecia amplificar o som. Chopra tinha certeza de que os homens tinham escutado. Mas ninguém saiu do galpão para investigar.

Ele desligou o telefone e o jogou dentro da mochila.

Às 23h, ele finalmente decidiu encerrar a operação, fazendo a última anotação no bloco.

Chegou em casa faminto e sentou-se imediatamente à mesa de jantar, bebendo um litro de água enquanto Poppy e Ganesha o observavam com espanto.

— Onde esteve o dia inteiro? — perguntou Poppy, depois de um tempo. Seu tom de voz não disfarçava o seu desgosto.

— Ah, apenas fazendo umas coisas — murmurou Chopra de maneira vaga.

— Que coisas?

— Isso e aquilo — ele resmungou, sem olhar nos olhos dela. Poppy observou com uma expressão confusa o marido terminar a refeição e depois, mal agradecendo, retirar-se para o escritório.

Isso e aquilo!, pensou Poppy. O que "isso e aquilo" significava?

Seu marido estava agindo de maneira muito estranha ultimamente. Certamente, ela compreendia que, desde o anúncio chocante de seu problema cardíaco e da terrível notícia de que ele teria que se aposentar mais cedo, Chopra havia sido obrigado a se adaptar a grandes e inesperadas mudanças em sua vida – mas, mesmo assim! Ele sempre fora uma criatura de hábitos, previsível. Não era de ter segredos. Mesmo quando estava trabalhando em casos importantes e não podia compartilhar os detalhes com ela, continuava a ser um livro aberto e um que Poppy podia ler: suas ansiedades, seus momentos de triunfo. Mas, ultimamente, havia se tornado um enigma.

A começar por todas as ligações estranhas que vinha recebendo nos últimos meses, ligações que seu marido se esforçava muito para esconder dela... E hoje! Sumir sem dizer nada antes mesmo que ela acordasse. Ele era um homem aposentado agora. Então, por que andava se esquivando, escondendo suas atividades dela como se fossem algum tipo de segredo de estado? E ignorando suas ligações, mesmo ela tendo telefonado não uma, mas oito vezes!

Se Poppy não estivesse tão preocupada com suas próprias questões e toda a história da filha de Kiran, nunca teria deixado aquilo por isso mesmo. Teria arrancado a verdade de seu marido e descoberto o que ele estava armando.

No dia seguinte, a situação piorou. Chopra desapareceu novamente antes de Poppy acordar e só apareceu tarde da noite. Continuou de bico calado e misterioso, mesmo com a mulher reclamando diretamente por ele estar agindo de maneira estranha. Ele disse a ela que estava "tentando amarrar algumas pontas soltas e não podia falar sobre o assunto agora". Depois, passou por ela e se fechou naquele seu maldito escritório.

A mãe dela também não ajudou. Em vez de consolá-la, colocou mais lenha na fogueira.

— Certifique-se de que não é outra mulher — ela disse, articulando a mesma preocupação que corroía a própria Poppy.

— É claro que não é outra mulher — ela respondeu rapidamente para a mãe, que apenas lançou um de seus olhares penetrantes.

Apesar de ter ridicularizado a observação da mãe, Poppy estava preocupada. Mais do que preocupada – estava apavorada. Com certeza, a existência de outra mulher explicaria os telefonemas secretos e as escapadas. Embora Chopra tivesse sido extremamente fiel durante todos esses anos, agora que estava passando por essa incrível reviravolta na vida talvez tivesse finalmente decidido que era hora de seguir em frente. Ele agora era um homem aposentado. Tinha tempo nas mãos. Agora que não tinha o trabalho para se ocupar, tinha tempo para refletir profundamente sobre sua vida. Tinha tempo para pensar sobre as frustrações de seu casamento, sobre o fato da mulher que havia escolhido não ter lhe dado filhos.

Um homem precisava de um filho; Poppy sabia disso. Principalmente um homem como Chopra. Mas ela não havia conseguido lhe dar nem mesmo uma filha. E se antes sua dedicação ao trabalho podia ocupar o espaço dessa parte que faltava em sua vida, o que havia agora para encher seus dias de propósito e significado?

Estava claro que seu marido havia decidido que já bastava.

Havia outra mulher, disso Poppy tinha certeza. Outra mulher mais jovem, mais bonita, que havia fincado as garras nele, que estava lhe prometendo um filho, muitos filhos, um time de críquete de filhos!

Que tipo de mulher seria ela? Uma megera calculista, sem dúvida. Talvez alguém como a Sra. Gopaldas, do décimo andar, que estava sempre dizendo a Poppy quanta sorte ela tinha por ter um marido tão bonito, tão viril em seu uniforme da polícia, completamente diferente de seu próprio marido, que era apenas um... apenas um... apenas um contador!

Poppy sentou-se no sofá e chorou. De repente, sentiu um toque no ombro. Levantou os olhos e viu o rosto do elefantinho olhando para ela com grande preocupação. Ganesha passou a ponta da tromba sobre o rosto de Poppy, gentilmente limpando suas lágrimas.

— Você não entende, não é, Ganesha? — perguntou Poppy com tristeza. — Como poderia? É fardo das mulheres suportarem a dor e o sofrimento neste mundo; é sempre fardo da mulher.

Poppy pensou mais uma vez no plano de se tornar mãe do bebê de Prarthana. De repente, o plano, o bom senso de levá-lo adiante, sobre o qual ela esteve deliberando infinitamente consigo mesma – quase a ponto de desistir –, parecia agora representar a única forma de salvar seu casamento... se já não fosse tarde demais.

Tanto Kiran quanto Prarthana estavam de acordo agora. Na verdade, Kiran já a estava perturbando para seguir com o plano. Tudo que faltava era Poppy dar a notícia de sua "gravidez" a Chopra. Sempre que pensava nisso, sentia uma relutância se manifestar. Como poderia mentir para seu marido, principalmente uma mentira como essa?

Mas agora ela percebia que teria que agir. Teria que dizer a ele, convencê-lo de que não estava tudo perdido se ele resolvesse continuar com ela.

Sim. Ela diria a ele. Prontamente. O quanto antes. Logo.

A RAINHA DA NOITE

No terceiro dia de tocaia, Chopra finalmente conseguiu fazer uma descoberta.

Era tarde da noite, o céu já estava escuro. Tinha sido mais um dia cansativo, mas, dessa vez, relativamente agitado.

Em algum momento da tarde, Chopra viu os dois capangas deixarem o recinto e andarem pelo beco até sumirem de vista. O coração dele imediatamente acelerou. Antes que tivesse tempo de mudar de ideia, saiu correndo do esconderijo e foi até o beco. Seus sentidos estavam em alerta máximo. Empunhando sua arma de serviço, avançou até a sombria entrada do galpão. Para sua surpresa, a porta não estava trancada. Com cuidado, abriu-a e entrou.

Viu-se em um espaço um tanto amplo, onde havia uma série de jaulas de ferro; lembravam as jaulas que ele tinha visto no Zoológico de Byculla. Em um canto do local deparou-se com uma espécie de estúdio fotográfico. Havia ali uma câmera de aparência cara e profissional presa a um tripé, um complicado equipamento de iluminação e uma tela de fundo.

Por um instante, ele se sentiu totalmente desorientado. Esperava encontrar contrabando: narcóticos ou armas ilícitas. O que aquelas jaulas vazias faziam ali? E, então, a ficha caiu! Algo que tinha lido recentemente em um jornal policial.... Essa instalação parecia, em todos os aspectos, o tipo de lugar que bandidos envolvidos em caça ilegal e tráfico de animais usariam.

Era isso que Nayak estava tramando? Chopra sabia que a caça ilegal havia, sem que ninguém percebesse, se tornado um grande negócio para o crime organizado na Índia. Como certas espécies se tornavam cada vez mais raras, fortunas podiam ser feitas por aqueles suficientemente inescrupulosos para tratar animais como mercadoria a ser massacrada em razão de seu valor material. Novos bilionários, forjados nas economias superaquecidas do Oriente, estavam dispostos a pagar somas absurdas por uma garra ou pênis de tigre, por um chifre de rinoceronte ou, o pior de todos, pelas presas de marfim de um elefante. (Chopra tinha lido que um único chifre de rinoceronte poderia valer quatrocentos mil dólares americanos.) Com frequência, esses animais raros morriam simplesmente para fornecer o ingrediente essencial de alguma receita primitiva: a poção de um xamã para aumentar a virilidade ou para promover a cura de uma série de males, fosse de gota ou picadas de cobra até uma possessão demoníaca.

Chopra permaneceu naquele espaço taciturno por um momento, memorizando o máximo de impressões que pôde. Então, lembrou-se de que estava com sua câmera. Rapidamente bateu várias fotografias das jaulas vazias antes de seguir em frente.

O resto de sua exploração se provou infrutífero. As outras salas do andar térreo do galpão estavam vazias, exceto por uma, que tinha sido claramente montada para servir como alojamento para os dois brutamontes. Uma rápida visita ao andar de cima mostrou que ele não era usado: estava cheio de teias de aranha e abandonado.

Chopra se deu conta de que os dois zeladores da casa estariam de volta a qualquer momento. Ele correu, desceu para o andar térreo, saiu do galpão e voltou para o esconderijo. Sentou-se em seu banquinho na hora certa. Rindo e dando tapinhas nas costas um do outro, os dois brutamontes voltavam cambaleando pelo beco, com garrafas de cerveja em suas mãos.

O único outro acontecimento digno de nota no dia foi a ligação que Chopra fez para o veterinário, Dr. Lala. Ele tinha se dado conta de que, em meio a sua inabalável busca pelo assassino de Santosh Achrekar, acabou por negligenciar suas obrigações com Ganesha. Já havia passado da hora de verificar com Lala quais as novas.

Chopra digitou o número do veterinário. Deparou-se com Lala preocupado com um spitz alemão esquizofrênico, bicho de estimação mimado de uma famosa heroína de Bollywood. O spitz acompanhava sua dona em todas as fotos e, ultimamente, tinha começado a atacar seus coadjuvantes masculinos, o que a atriz alegava tratar-se de ataques raivosos de ciúme. Ela explicou, com pura sinceridade, que o spitz era a reencarnação de seu primeiro marido, que havia morrido em um acidente trágico alguns anos antes. Lala recebeu a tarefa de curar o spitz de suas tendências violentas. Quatro grandes filmes de Bollywood estavam com as filmagens suspensas até que o doutor achasse uma solução, já que a atriz se recusava a atuar sem o amado animal ao seu lado.

    Lala se desculpou por ele mesmo não ter ligado para Chopra. As notícias eram boas. O exame médico de Ganesha não havia revelado nada anormal. Apesar de seu comportamento abatido demais e de um certo aspecto de subnutrição em seu físico, o bebê elefante parecia ter ótima saúde.

    Lala tinha mais notícias boas. Ele havia conversado com seu amigo em Visakapatnam. Por coincidência, havia lugar disponível para um bebê elefante no santuário que esse amigo dirigia. Lala esteve ocupado com os preparativos. Em três dias um caminhão chegaria para levar Ganesha a seu novo lar.

    Chopra foi tomado por emoções conflitantes. Ficou feliz pelo problema ter se resolvido de forma tão rápida. Mas, ao mesmo tempo, não conseguiu suprimir a pontada de culpa que o consternava.

— Tem certeza de que esse santuário é um lugar seguro para um bebê elefante? — ele perguntou a Lala.

— Eu mesmo já estive lá — o veterinário confirmou. — É o lugar ideal. Dou minha palavra.

Quando a noite caiu, Chopra teve dificuldade para manter os olhos abertos. Os três dias anteriores finalmente cobravam seu preço. Ele estava cansado e seu corpo doía; músculos que nem sabia que existiam gritavam em protesto. Ele também tinha plena consciência da recepção gélida que encontraria ao chegar em casa. Mas não podia compartilhar com Poppy o que andava fazendo. Ela não entenderia.

Ela vinha insistindo para que ele se aposentasse desde o dia em que descobriram seus problemas de coração. Se contasse a ela que estava acampando em um edifício abandonado, do outro lado da rua de um grupo de gângsteres linha-dura, esperando pelo notório senhor do crime que supostamente havia matado quase uma década antes, ela surtaria. Quando Poppy colocava uma ideia na cabeça, era difícil fazê-la ouvir a voz da razão. Ela nunca entenderia que ele simplesmente tinha que fazer aquilo, que não importava até onde a missão o levasse, não importava nem mesmo se aquilo o consumisse.

E sempre que Chopra pensava em Kala Nayak, não conseguia parar de pensar no garoto assassinado e em sua mãe, que, até agora, esperava por justiça, esperava que ele cumprisse sua promessa. De certa forma, aquele garoto havia se tornado filho do próprio Chopra; ele *tinha* que saber por que Santosh Achrekar havia morrido; tinha que encontrar os responsáveis, mesmo que a investigação o levasse a um terreno perigoso.

E então, bem quando havia decidido voltar para casa, o ronco de uma motocicleta rasgou o beco. O homem de boina vermelha tinha reaparecido.

Enquanto Chopra observava, o homem estacionou a moto e desceu na frente da entrada do armazém. Era uma moto nova, uma Honda Hero vermelha, com um padrão em V pintado de preto e brilhantes rodas cromadas. O homem de boina vermelha acendeu um cigarro, e então chamou aos berros pelos capangas.

Alguns minutos depois, os dois homens instalados no armazém surgiram. O maior coçou a barriga peluda; o menor esfregava os olhos com sono. O homem de boina vermelha foi para cima do mais baixo e lhe deu um tapa na cara que o derrubou no chão. Chutou seu estômago várias vezes até o homem ficar em posição fetal. Jogou o cigarro nele e, então, voltou sua atenção para o outro capanga, cuja própria sonolência se dissipara bem depressa. Com Chopra observando, o homem de boina vermelha forçou o outro a se ajoelhar, e da cintura de sua calça jeans puxou uma pistola automática. Ele pressionou o cano da pistola contra a boca do homem barrigudo e rosnou no ouvido dele alguma coisa que Chopra não conseguiu entender.

Era óbvio que o homem de boina vermelha estava descontente. Mas com o quê?

O homem se levantou, contou alto... um, dois, três... e puxou o gatilho.

Nada aconteceu.

Gargalhando com raiva, ele empurrou o brutamontes apavorado, que caiu de costas no chão.

— Da próxima vez não vai estar vazia — ele gritou. — É melhor que sejam mais eficientes ou vou enterrar vocês bem aqui neste armazém.

O homem de boina vermelha montou na moto e acendeu outro cigarro.

Chopra jogou as coisas na mochila e desceu as escadas correndo para pegar sua moto. Pulou na Enfield e tentou dar a partida no pedal. Não funcionou.

— Vamos, Basanti! — ele suplicou. — Não me deixe na mão agora!

O pedal funcionou, e, com um rugido, o motor voltou à vida.

Chopra alcançou seu alvo no cruzamento seguinte. Ele seguiu a Honda Hero pela Western Express Highway, no sentido norte, até saírem pela passagem subterrânea e pegarem a Andheri West Road. Ele continuou a segui-lo, e foram por Jogeshwari até Lokhandwala.

Em Lokhandwala, o homem de boina vermelha estacionou a moto no meio-fio. Desceu e entrou em um edifício com janelas cobertas por uma película escura e um luminoso de neon em que se lia "Rainha da Noite". Um bar de entretenimento adulto.

Chopra desceu e seguiu sua presa porta adentro.

Logo que entrou, deparou-se com uma densa névoa de fumaça de cigarros. Homens se amontoavam ao redor das mesas, bebendo e fumando sob uma fraca luz vermelha. Mulheres seminuas vagavam pelo salão, servindo bebidas e parando para sussurrar no ouvido dos fregueses. A cada poucos minutos uma negociação era bem-sucedida, então o homem levantava de sua mesa e seguia a mulher aos fundos do salão, onde uma escada levava para o andar de cima.

Os olhos de Chopra atravessavam o ar enfumaçado, procurando pelo homem de boina vermelha. *Ali!* Ele estava sentado de costas para Chopra, rindo com gosto ao lado de dois amigos. Enquanto observava, uma mulher de saia curta, salto alto e uma blusa frente única se insinuou até a mesa deles com uma bandeja de bebidas. O homem de boina vermelha imediatamente a puxou para seu colo e disse alguma coisa que fez os outros caírem na gargalhada.

— Sahib, posso arranjar uma mesa para você?

Chopra se virou. Um homem baixinho de uniforme roxo olhava para ele, aguardando a resposta. Ele hesitou. Não conhecia a etiqueta desse tipo de lugar. Bares de entretenimento adulto eram um fenômeno de Mumbai que há muito o desconcertava. Parte bar, parte bordel, parte clube de cavalheiros, tinham brotado por toda a cidade durante a última década. Alguns eram espeluncas decadentes, enquanto outros eram tão sofisticados que quase não dava para distingui-los dos bares da moda internacionais do sul de Mumbai. Ele sabia que alguns de seus colegas policiais frequentavam lugares assim, e até se gabavam abertamente sobre o quanto haviam se divertido, discorrendo em detalhes sobre suas conquistas noturnas. Mas Chopra nunca foi desse tipo de policial, e deixou claro, quando passou a comandar a delegacia de Sahar, que sua postura quanto a esses assuntos seria inflexível. Se qualquer um de seus comandados se entretivesse dessa forma, que fosse esperto o bastante para não deixar chegar a seus ouvidos.

— Sim — ele murmurou —, uma mesa.

Foi oferecida a ele uma mesa pequena do lado do salão totalmente oposto ao local onde estava o homem de boina vermelha.

— Sahib, o que vai querer?

— Como? — Chopra percebeu que o garçom ainda o rodeava.

— O que vai querer, sahib?

Chopra olhou para ele, sem entender nada.

— Para beber — disse o homem, animado.

— Uma Coca — ele disse, automaticamente.

— Coca? — repetiu o homem. Ele parecia espantado. Chopra entendeu onde tinha errado. A clientela que frequenta aquele tipo de local não pedia Coca-Cola.

— Sim — ele disse, de forma áspera. — Coca com uísque. Qual o problema, não ouve direito?

No rosto do homem abriu-se um sorriso de alívio. Isso já era mais comum.

Ele logo voltou com o pedido. Em geral, Chopra não bebia. Tinha visto o que acontecia com os policiais que o faziam. Começava com um pequeno aperitivo, apenas para socializar. Então, algumas doses para ajudar a esclarecer as coisas em uma investigação especialmente complicada. Logo seriam três ou quatro copos para aliviar as tensões do dia. Antes que alguém percebesse, um ótimo policial havia arruinado sua carreira, e os colegas se referiam a ele como "aquele bêbado".

Não, era um terreno perigoso, onde ele nunca havia colocado o pé.

Colocou a Coca no copo de uísque e fingiu bebericar, enquanto observava o homem de boina vermelha – que, àquela altura, já estava apalpando e passando a mão na garota em seu colo havia uns bons dez minutos. Pela primeira vez, conseguiu dar uma boa olhada na cabeça do homem. Ele sabia o que procurava, mas seus olhos, que ainda eram ótimos à distância, não conseguiam encontrar os arranhões que – tinha convencido a si mesmo – deveriam estar ali. Teria ele cometido um erro? Estaria seguindo a pista errada? E se esse homem não tivesse nada a ver com Santosh Achrekar? Decerto era essa missão a prioridade de Chopra, não sua repentina convicção de que Kala Nayak havia retornado dos mortos, não?

De repente, a garota se levantou. Pegou da mesa a boina vermelha do homem, colocou em sua própria cabeça e, para gargalhadas barulhentas dos amigos dele, foi rebolando até a escada. O homem bateu na mão de um dos amigos e a seguiu. Chopra sentiu um aperto no estômago. Cada fibra de seu ser insistia para que não perdesse a presa de vista, mas ele não poderia segui-lo até um dos quartos privativos. *Maldição!* Não havia nada a fazer a não ser esperar.

Ele percebeu alguém parado perto de seu cotovelo.

— Não quero outro uís... — ele começou, e então notou que estava conversando com os seios de uma mulher. Ela aparentava ser oriental, talvez uma daquelas garotas de Assam ou Nagaland que vinham para Mumbai tentar a sorte e com muita frequência acabavam em lugares assim.

Ela sorriu para ele através de uma máscara de maquiagem. Era atraente, Chopra não tinha como não reparar, com suas pernas bem formadas e um busto incrível, que mal cabia na blusa frente única. Seus cabelos, negros e sedosos, formavam um coque sobre a cabeça.

— Olá, senhor — ela disse, com uma voz rouca, que fez Chopra se retrair. — Nunca o vi aqui antes.

— Não — ele murmurou —, é a minha primeira vez.

— Primeira vez? — A mulher sorriu. — Parece muito experiente, senhor. Não acredito que, para um homem bonito como o senhor, essa possa ser a primeira vez. — Ela deu uma risadinha lasciva.

Ele sentiu seu rosto corar.

— Não quis dizer que era minha primeira vez com uma... digo... o que quis dizer é que é minha primeira vez neste estabelecimento em particular.

Ela continuou a sorrir para ele, aproximando-se de tal forma que seus seios ficaram a apenas alguns centímetros do rosto de Chopra. Ele notou que tinha começado a suar. Ela olhou para ele sob a sombra azul dos olhos e sussurrou, com a voz rouca:

— Quer subir comigo?

— Agora não — ele murmurou. — Talvez mais tarde.

— Ah — disse a mulher, parecendo desanimada —, então não me acha bonita? Acha que sou feia?

— Nem um pouco — disse Chopra, desesperado. — Você é, hã, muito atraente.

A garota se animou. Ele sabia que tudo aquilo era uma encenação, sabia que estava sendo manipulado, e ainda assim sentiu-se como um coelho olhando para os faróis de um trem que chega a toda velocidade.

— Então, qual é o problema?

— Problema nenhum — ele murmurou. — Estou aqui só para beber, só isso.

— Só para beber? — A mulher levantou a voz. — O que quer dizer?

Um homem enorme de terno preto em estilo safari se materializou atrás dela.

— Qual é o problema aqui? — ele perguntou, de forma rude.

— Esse senhor disse que está aqui só para beber. Não gosta de mim.

O homem enorme olhou para Chopra. Ele tinha a pele escura e um bigode bem grosso.

— Qual é a sua, senhor? — ele rosnou. — Ninguém insulta minhas garotas.

— Não insultei ninguém — disse Chopra, rangendo os dentes.

— Você a recusou, certo?

— É, mas...

— Ele disse que só está aqui para beber.

— Só para beber? — O bigode subia e descia sobre a boca do homem, a essa altura completamente incrédulo. Ele encarou Chopra. — Que diabos pensa que esse lugar é? Um hotel cinco estrelas?

Chopra percebeu que a situação estava saindo do controle. Os homens das mesas ao redor se viraram para escutar. Mais um pouco daquilo e o disfarce estaria arruinado.

— Se não é *ela* que o senhor quer, escolha outra garota. Temos uma boa seleção, para todos os gostos.

Chopra agora tinha duas alternativas. Poderia sair e esperar do lado de fora pelo homem de boina vermelha. Mas, se fizesse isso, não veria o que acontecia dentro do bar. E se Kala Nayak estivesse ali, em algum lugar, talvez até em um dos quartos privativos do andar de cima, e o homem de boina vermelha estivesse se encontrando com ele? Não, ele precisava ficar lá dentro.

— Veja só — ele disse, desesperado —, ela é perfeita.

— Ótimo — disse o homem, e foi embora.

A mulher sorriu para ele. Ela se abaixou e sussurrou:

— Venha, vamos subir.

Chopra notou que não tinha escolha.

Ele seguiu a mulher pelo labirinto de mesas e pelas escadas. Seu rosto queimando de constrangimento. Tinha certeza de que cada um dos olhos ali estava voltado para eles, que cada homem olhava para ele. Mas quando virou e deu uma espiada rápida, percebeu que ninguém os observava. Ninguém se importava. Tudo aquilo fazia parte do negócio. Ele era só mais um cliente, a caminho de ter seu pedaço do céu.

A mulher o levou para um quarto mal iluminado com paredes brancas e uma cama de solteiro. Ela se virou e disse, de forma totalmente profissional agora:

— São quinhentas rúpias.

Chopra ia começar a reclamar, mas apenas pegou a carteira e contou cinco notas de cem rúpias. A mulher pegou o dinheiro e colocou em uma gaveta ao lado da cama, que trancou com uma chave pendurada na correntinha em seu pescoço. Ela pegou alguma coisa na gaveta e entregou a ele. Era um preservativo.

— Ponha isso — ela ordenou. Sem mais delongas, ela tirou a blusa, sacudiu-se para fora da saia e dos sapatos e deitou na cama.

Chopra olhou para o corpo nu da garota e ficou desnorteado, tanto pela beleza dela como por seus próprios sentimentos. Ele era um homem bom, sabia disso. Ele não deveria estar ali, olhando para aquela jovem que esperava que ele... ele... que ele fizesse o que ela fazia com só deus sabe quantos clientes todas as noites. Ele sabia que a onda de desejo que o tomava era errada. E desviou o olhar.

— Escute — ele disse —, preciso de sua ajuda.

NO BARCO

Quando voltou para o andar de baixo, uns quinze minutos depois, viu que o homem de boina vermelha também havia retornado. Chopra foi para sua própria mesa, onde sua Coca com uísque ainda o aguardava.

— O senhor ficou satisfeito?

Ele se virou e viu o grandalhão de terno preto olhando para ele.

— Sim — respondeu. — Muito satisfeito. — O homem acenou com a cabeça e saiu. Chopra continuou observando o homem de boina vermelha. Alguns minutos depois, a garota oriental desceu. Ela foi até a mesa de Chopra e fingiu flertar com ele novamente, sentando-se em seu colo e colocando os braços em volta de seu pescoço ao sussurrar em seu ouvido.

— Falei com a minha amiga. Ela disse que o homem não encontrou ninguém no quarto dela. Até onde ela sabe, ele não se encontra com ninguém aqui, a não ser com os amigos com quem está sentado. Quer saber o que ele fez com minha amiga?

— Não — disse Chopra. — Eu posso imaginar.

— Chopra! Meu Deus, é você!

Chopra virou a cabeça e viu um homem com uniforme de inspetor da polícia avançando sobre ele, trançando as pernas.

— Ha! Ha! Nunca pensei que veria uma coisa dessas! — O homem balançava uma garrafa de cerveja Kingfisher. Era alto e magro, com um bigode alegre e cabelos penteados para trás sobre uma cabeça perfeitamente arredondada.

Chopra morreu de vergonha. Ele conhecia o homem. Era o inspetor Amandeep Singh, da delegacia de Chakala. Singh era mais um conhecido que propriamente um amigo. No decorrer dos anos, ele ouvira rumores de que Singh tinha pouca consideração pelas regras e levava uma vida de soberba tanto no trabalho quanto fora dele. Ele lamentou o terrível infortúnio de seus caminhos terem se cruzado nesta noite.

— Devo admitir, Chopra, você enganou a todos nós, yaar! Costumávamos fazer piadas pelas suas costas, dizíamos que Chopra era tão certinho que era capaz de prender a própria mãe por cuspir na rua. Hwaw! Hwaw! Hwaw!

Chopra se retraiu. Ele agora se lembrava da última vez que tinha ouvido a risada de Singh, em uma reunião na delegacia local alguns anos antes. A seus ouvidos, parecia-se com um jumento sendo castrado.

— Por sinal, ouvi dizer que você se aposentou. — Singh levantou a garrafa propondo um brinde. — À vida boa! Hwaw! Hwaw! Hwaw!

Chopra sentiu que estava completamente vermelho. Maldito palhaço! Certamente seu disfarce estava arruinado agora! Ele voltou os olhos para o homem de boina vermelha, mas ele estava ao telefone, de costas para o circo armado por Singh.

— Ouça, Singh, vamos manter isso entre nós, está bem?

Singh deu um tapinha na lateral do nariz. Seus olhos reviraram-se nas órbitas.

— Ah, sim! A esposa! Como era o nome dela? Chippy? — Ele deu uma piscadinha indecente para a garota que estava no colo de Chopra. — Aqui é muito melhor, devo dizer. Uma esposa diferente a cada noite e nenhuma perturbação depois! Hwaw! Hwaw! Hwaw!

Quando Singh saiu cambaleando, Chopra teve uma sensação terrível de desastre iminente. Sabia que, no dia seguinte, sua reputação viraria pó. Todos estariam falando sobre Chopra, o entusiasta secreto de bares adultos.

Imaginou os rapazes da delegacia de Sahar sacudindo a cabeça, incrédulos, recusando-se a aceitar a história a princípio, mas ficando zangados depois ao se lembrarem de como ele sempre fingia ser tão rígido. "Nunca dá para saber com certeza o que existe por baixo", eles diriam, e sua fé na natureza humana diminuiria um pouco mais.

O homem de boina vermelha saiu do bar três horas depois. Já era bem tarde da noite. Caminhou com alguma dificuldade até a moto. Chopra foi atrás. Ele também não estava se sentindo totalmente sóbrio. Foi impossível manter sua mesa no bar por três horas sem beber nada. Sua cabeça estava começando a latejar, e ele sentia uma queimação na garganta. Foram três tentativas até que conseguisse acertar o pedal da Enfield.

Ele seguiu o homem de boina vermelha por Lokhandwala e Versova. As ruas estavam vazias e o vento ajudava a clarear um pouco a cabeça de Chopra. Ele pensou na última coisa que a jovem do Rainha da Noite havia lhe dito. "O senhor me pediu para descobrir o nome daquele homem. Ele se chama Shetty".

Shetty. No dia de sua morte, Santosh havia escrito em seu diário: "Encontrar S. no Moti, 21h". Seria Shetty o "S."? Chopra não tinha certeza, mas tinha que acreditar que estava no caminho certo. Teria Santosh ido ao encontro de Shetty na loja de Motilal aquela noite? Em caso positivo, poucas horas depois desse encontro é que ele foi assassinado.

Eles seguiram pela Yari Road, que fazia uma curva antes de terminar na vila de pescadores de Koli, atrás da praia de Versova. Chopra teve dificuldade para perseguir o homem de boina vermelha – Shetty – pelas vielas estreitas e sinuosas, mas sempre que achava que o tinha perdido, vislumbrava algo vermelho.

A vila estava em silêncio, recolhida para a noite; alguns pescadores vestindo lungi fumavam bidis na frente de suas casas e observavam o movimento com olhos semicerrados, mas, fora isso, havia pouca atividade.

Havia muitas vilas como essa ao longo da costa de Mumbai. Chopra sabia que eram comunidades insulares que descendiam dos pescadores originais da cidade, quando Mumbai era pouco mais do que uma série de ilhas alagadiças. A maior parte desconfiava profundamente da polícia, e com bons motivos. A vida de quem vivia da pesca era difícil e muitas comunidades complementavam a renda auxiliando em operações de contrabando organizadas.

Finalmente, saíram na praia de Versova.

Chopra já estivera ali uma vez, há muitos anos, na companhia de um amigo empolgado que o havia levado até lá em uma hora terrível para que pudessem comprar peixe diretamente dos barcos, tão logo chegassem: chaputa e bombil; camarão tigre e cação; lula e *ladyfish*; cavala e carapau; pala e carpa rohu. Agora, os barcos de pesca estavam atracados, com os cascos coloridos expostos à noite. Acima da praia, uma lua crescente reluzia, refletindo um brilho prateado sobre o mar.

Na água, uma grande traineira flutuava junto ao cais de madeira, que se acoplava a uma área cimentada que dava na praia. A traineira estava amarrada a um ancoradouro no fim do cais.

Shetty parou a moto, caminhou pela prancha de embarque até a traineira e desapareceu lá dentro.

Chopra parou sua própria moto na área de concreto, atrás de uma fileira de tonéis de óleo próximos a um barracão abandonado. O ar fedia a peixe.

Ele pegou o binóculo. Espiando por sobre os tonéis de óleo, ele se acomodou para observar o barco.

Depois de uma hora, durante a qual nada aconteceu, Chopra ouviu o ronco de um motor potente atrás de si. Abaixou-se quando as luzes brilhantes passaram pela praia. Uma Mercedes parou na outra extremidade da área de concreto. Dois homens saíram, e um deles usava terno branco e segurava uma bengala. Chopra observou pelo binóculo o homem caminhando pelo cais e subindo na traineira. Pouco antes de entrar no barco, o homem com a bengala se virou e passou os olhos pela praia. Por um breve segundo, a luz da lua refletiu em seu rosto. Chopra quase perdeu o fôlego. Nayak.

Ele aguardou por trinta minutos. Depois disso, não pôde mais esperar. Precisava saber.

Chopra sacou seu revólver e verificou o tambor mais uma vez. Atravessou a área de concreto e chegou ao cais de madeira. Pouco antes de entrar na traineira, foi assolado por uma onda repentina de hesitação. O que estava fazendo?!

Durante toda a sua vida, ele havia sido um policial regrado. O que ele estava pensando em fazer agora era um descuido, algo imprudente ao extremo. Como policial, isso demonstrava uma brutal falta de consideração pelo procedimento. Mas aí é que estava a questão – ele não era mais policial. Por ser ex-policial, Chopra sabia que, se chamasse reforço, provavelmente lhe enviariam uma equipe da delegacia de polícia local.

Mas e se ele estivesse errado? A repercussão seria terrível! E o pavor começou a crescer dentro dele – não um pavor do que poderia encontrar dentro do barco, mas o medo muito maior de arruinar a reputação que havia demorado toda uma vida para construir.

Não, ele pensou, ele não podia correr aquele risco.

Chopra tirou o bloco de notas do bolso e anotou o número da placa de Nayak. O número era um começo, mas se

Nayak havia conseguido ficar escondido por tantos anos, não seria tolo o bastante para deixar um rastro tão óbvio. Ele precisava de provas definitivas.

E tinha mais uma coisa... Chopra precisava confrontar Nayak. Era culpa sua Nayak ter escapado. Nayak o havia feito de bobo e, por conseguinte, toda a polícia. Era responsabilidade de Chopra capturar o homem. Era esse o código moral do policial.

Ele entraria no barco e localizaria Nayak. Assim que identificasse seu nêmesis, daria a ele voz de prisão como um cidadão comum mesmo. Daria um jeito em qualquer um que ficasse em seu caminho. Então, ele levaria Nayak a seus superiores.

Chopra considerou o plano e reconheceu para si mesmo que era extremamente ingênuo.

Afinal, ele não fazia ideia de quantas pessoas estavam a bordo da traineira. Era praticamente uma certeza que muitos, senão todos, estariam armados. Havia também a possibilidade de Shetty ter percebido que Chopra o estava seguindo. Era difícil não notar sua moto, principalmente na calada da noite. Será que Shetty o atraíra até aqui de propósito? Estaria agora no barco esperando que Chopra fosse tolo o bastante para entrar, sozinho e armado apenas com seu antigo revolver Anmol?

O suor se acumulava sobre seu lábio superior enquanto ele lutava com o dilema. Sabia que deveria dar meia-volta e ir embora. Ainda assim, seus pés não se mexiam.

Finalmente, depois de agonizar consigo mesmo pelo que pareceu uma eternidade, Chopra decidiu que, uma vez na vida, teria que deixar a racionalidade de lado. Seus instintos o estavam empurrando para a frente, compelindo-o a atacar enquanto Nayak ainda estivesse no barco. Ele não podia deixar a chance passar. Não podia ir embora.

Ele pegou o revólver e movimentou-se em silêncio, o tempo todo pensando que fazia muito tempo desde a última vez que disparara uma arma com a intenção de acertar.

A traineira flutuava com leveza sob seus pés. Ele andou pelo estreito convés entre o casco do barco e a estrutura superior. Chegou a uma entrada. Segurando o revólver, abriu a porta e entrou.

Viu-se em uma pequena passagem, com portas fechadas dos dois lados. Ele escolheu a porta da direita. Entrou em um cômodo escuro, iluminado por uma única luminária, que chacoalhava um pouco com o balanço do barco. Havia uma cama charpoy encostada em uma das paredes. Um pilar de madeira erguia-se no centro do cômodo e encontrava uma viga. Havia um balde em um canto, perto de um emaranhado de redes de pesca. No outro canto, uma mesa pequena com duas banquetas. Sobre a mesa havia uma garrafa de uísque, dois copos, um cinzeiro de metal com um cigarro aceso na borda e cartas de baralho desgastadas distribuídas para duas pessoas.

— Onde eles estão? — murmurou Chopra. Ele não teve tempo de completar o raciocínio. O golpe o atingiu atrás da cabeça, e tudo ficou escuro.

Quando despertou, ouviu o som de água pingando. Sua cabeça doía. Sacudiu-a para clarear as ideias. Percebeu que estava sentado, amarrado a uma cadeira. Não conseguia se mexer. Havia um trapo de pano amarrado em volta de sua boca.

Ele virou a cabeça. Ainda estava no pequeno cômodo em que havia sido atacado. A cadeira à qual fora amarrado estava, por sua vez, atada ao pilar de madeira do centro do cômodo. Sobre a pequena mesa que Chopra havia notado antes, estava sua arma – mas que poderia muito bem estar a um milhão de quilômetros de distância. O som de água que ele estava ouvindo era o suave *ping-ping* das gotas de chuva que caíam no balde ali no canto; havia uma goteira no teto. O barco balançava devagar sob seus pés. Chopra sabia, pelos raios de luar que entravam por uma única janela, que ainda era o meio da noite lá fora. Dava para ouvir a chuva batendo nas tábuas de madeira do barco.

O inspetor (aposentado) Chopra tentou acalmar sua mente. *Pense!* Não adiantava ficar xingando sua própria estupidez; era tarde demais para isso. Ele havia permitido que seu desejo de encontrar o homem que suspeitava ser Kala Nayak triunfasse sobre si. E agora ele estava em verdadeiros apuros. Via de regra, o submundo de Mumbai não matava policiais, pois isso causava contratempos em suas próprias organizações. Muitos de seus próprios homens acabavam mortos a tiros posteriormente em "encontros" com a polícia. Mas Chopra não era mais policial, e aquilo fazia toda a diferença.

Ele ficou imaginando o que diria seu obituário.

"Inspetor (aposentado) Ashwin Chopra. Morto em Versova, Mumbai, pelas mãos de criminosos no cumprimento do que-não-era-mais seu dever. Policial modelo e bom cidadão de Mumbai por mais de trinta anos. Ganhador do Kirti Chakra por ato de bravura. Amante de críquete e de vada pao. Dono de um elefante. Deixa esposa, Archana Chopra". Talvez devessem acrescentar ao final: "Homem tolo que está morto por ignorar as precauções mais básicas do trabalho policial".

O que Poppy diria, ele se perguntou? Sem dúvida ficaria furiosa com ele por morrer justo ao se aposentar. Ela certamente se enfureceria por ele ter ignorado as ordens médicas de não se exaltar. Chopra sentiu um incremento repentino em seu estado de ânimo. Pelo menos ela ainda era suficientemente jovem e atraente para se casar novamente. E se ele bem conhecia a esposa, sabia que ela não era do tipo que passaria o resto da vida como viúva, vagando por aí toda vestida de branco. Ele desejava o melhor para ela. Sempre havia desejado.

Pensou rapidamente na nova propriedade na Guru Rabindranath Tagore Road, ainda inacabada e agora provavelmente fadada a permanecer assim. Poppy descobriria sobre a casa mais cedo ou mais tarde. O que acharia? Ficaria zangada, sem dúvida. Zangada com os planos dele e com o fato de ele ter mantido segredo. Mas, no final, o que importava aquilo? O que importava qualquer coisa depois que um homem ia embora desse mundo? Carma. Era tudo o que um homem podia fazer. Preservar seu carma, para que na próxima vida tivesse chance de lutar.

Chopra testou as amarras, mas estavam apertadas demais. Haviam sido atadas por um especialista, ele pensou. Se aquilo fosse um filme de Bollywood, e ele fosse um herói de ação de Bollywood, conseguiria certamente invocar a divindade de sua escolha, encontrar a força sobre-humana para arrebentar as cordas e, então, com os músculos inchados e aparentes, entrar em ação para despachar sumariamente dezenas de vilões, antes do confronto final com Kala Nayak.

Ele se perguntou quando os pescadores acordariam e sairiam com os seus barcos. Com certeza, seria sua oportunidade, talvez a única que teria, quando a praia estivesse cheia de pescadores, compradores de peixe, catadores, vendedores de gelo. O problema era que ele não conseguia sequer gritar para pedir ajuda...

De repente, ele notou outro som, um lamento tênue praticamente inaudível. Ele se concentrou para ouvir. O som parecia vir de algum lugar sob seus pés. Chopra ficou imaginando o que poderia ser. Era difícil isolá-lo do ruído da chuva, e ele começou a suspeitar que não passava de sua imaginação. Mas antes que tivesse chance de analisar melhor o som, a porta se abriu e dois homens entraram. Um deles era magro, de pele escura e vestia uma camisa com estampa havaiana. O outro era o homem de boina vermelha. Shetty.

— Ele está acordado — disse o da camisa havaiana.

— Bem-vindo, inspetor — sorriu Shetty, acenando com o braço de forma expansiva. — Está gostando do nosso barco?

Chopra o encarou.

— Ele não tem muito a dizer, não é? Normalmente, esses policiais não param de matraquear. Não é, inspetor?

Os dois homens trocaram sorrisos, como se tivessem acabado de contar uma ótima piada. Chopra observou-os com cautela. Podia sentir a ameaça de violência por trás de suas palavras.

Shetty recolheu a arma de Chopra e fingiu examiná-la.

— É por isso que a polícia é tão inútil — ele disse. — Vocês têm umas armas muito antigas. Já eu, tenho uma pistola alemã automática. — Ele colocou a mão na cintura da calça jeans e tirou sua pistola. Pesou as duas armas com as mãos e disse: — O que você acha, Chotu? Revólver ou automática?

— Só tem um jeito de descobrir, chefe — riu Chotu.

Shetty colocou sua automática sobre a mesa. Depois, encenando certa formalidade, fingiu examinar o revólver, antes de retirar cinco das seis balas de seu tambor. Ele girou o tambor, colocou-o de volta no lugar e depois apontou a arma para a testa de Chopra.

— Sabe, não é muito educado ficar seguindo as pessoas por aí, é, inspetor? — ele sorriu, mostrando um punhado de dentes grandes. — É preciso ter muita sorte para não ser visto. Vamos ver com quanta sorte você está hoje.

— *Pare!*

Todos os três olharam para a porta. Outro homem entrou no pequeno cômodo, seguido por um segundo capanga. Chopra ficou paralisado, apertando os olhos.

— Ram, ram, Chopra — disse Kala Nayak. — É tão bom ver você novamente, depois de todos esses anos.

ELE NÃO É UM ELEFANTE COMUM

Poppy acordou. Por um momento, debateu-se confusa, como se nadasse para fora das profundezas de seu sonho. Ela tinha se imaginado perdida na selva, incapaz de achar uma saída, enquanto criaturas estranhas de nove patas e sete olhos a caçavam por entre as árvores; árvores que também ganharam vida e se juntavam à caça, esticando os membros como trepadeiras para agarrar a sua garganta e estrangulá-la até...

Ela se sentou.

Foi acordada por um som. Dava para ouvi-lo agora. Era mais alto que o som da chuva batendo nas janelas, mais alto até do que o ruído do ar-condicionado. Poppy se virou de lado para cutucar o marido e acordá-lo... E descobriu, para seu horror, que ele não estava ali. Então, ela se deu conta de que ele provavelmente tinha se levantado para ir ao banheiro ou tomar um copo d'água, como era de seu feitio.

Aquela percepção foi engolida pela lembrança da noite anterior, quando foi se deitar sozinha, fervendo de raiva porque ele não tinha voltado nem telefonado para avisá-la sobre seu paradeiro. Ela estava determinada a ficar na cama, esperando para dar a ele o maior susto de sua vida assim que entrasse pela porta; ela mostraria para *ele*, Senhor Isso-E-Aquilo! Mas o estresse dos últimos dias a tinha deixado exausta e ela dormiu praticamente no momento em que pôs a cabeça no travesseiro. Isso era outra coisa: Chopra sempre teve o sono muito mais leve que o dela, o que a incomodava no início, até que ele lhe garantiu que ela não roncava ao dormir. Seria terrível uma mulher que roncasse, Poppy pensou.

Ela se endireitou e ficou escutando. O som estranho, um tipo de arranhar fraco, estava mais claro. O que poderia ser? Certamente não era seu marido.

Tomada por um crescente sentimento de apreensão, Poppy saiu da cama e foi devagar até a sala de estar. Uma rápida espiada na cozinha e pelas portas abertas do banheiro e do escritório confirmaram seus piores medos: Chopra não estava no apartamento.

Por um instante, ela se sentiu atordoada, paralisada pelo choque. Em vinte e quatro anos de casamento era a primeira vez que seu marido passava a noite fora sem avisá-la antes. É claro, aquela era a última prova de que Poppy precisava; era evidente, agora: só podia ser outra mulher!

Poppy tentou imaginar seu marido nos braços de alguma piranha, alguma vagabunda barata destilando um doce veneno nos ouvidos dele. Ela foi tomada por uma raiva gigantesca, que deixou todo o seu corpo vermelho. Além da raiva, havia a vergonha; vergonha por não ter sido capaz de segurar o marido, vergonha do que os vizinhos diriam, do que a família dela diria. Como ela encararia as outras pessoas agora? Poppy, que sempre tinha sido a destemida, a confiante, agora não seria capaz nem mesmo de olhar seus amigos nos olhos. Uma mulher abandonada pelo marido não tinha valor na Índia. Ela se tornaria invisível, um fantasma a quem ninguém gostaria de ser associado. Talvez até fosse obrigada a voltar para seu vilarejo natal, para a casa dos pais, a passar os dias como uma leprosa na companhia de seu irmão idiota e de sua irritante mãe – que, sem dúvida, nunca a deixaria esquecer daquilo. Um pânico mortal fez seu corpo estremecer e lágrimas começaram a escorrer dos cantos de seus olhos.

Foi então que percebeu que o estranho som de arranhão que ouvira vinha da porta da frente. Ela se virou e viu Ganesha esfregando a cabeça ali.

Ela enxugou as lágrimas e foi até ele.

— O que foi, garoto? — ela disse. Ganesha a ignorou e bateu suavemente na porta com o topo de sua cabeça cheia de calos. Era óbvio que ele desejava sair do apartamento.

Poppy abriu a porta e o seguiu até o saguão.

Ganesha andou em círculos pelo saguão até chegar na escada de mármore. Ele balançou uma perna sobre o primeiro degrau, mas então recuou, confuso.

— Por aqui, garoto — disse Poppy, chamando o elevador. Juntos, desceram ao térreo.

Enquanto Ganesha trotava até o pátio, Bahadur, que tinha acabado de se levantar para ir ao lavabo, soltou um grito. A visão do elefante se materializando repentinamente para fora do saguão escuro o assustou de tal maneira que não precisaria mais usar o banheiro.

Juntos, ele e Poppy observaram Ganesha dando cabeçadas no portão do condomínio. Bahadur olhou para

Poppy, que assentiu. Foi até o portão e o abriu. Eles observaram Ganesha, com seu andar pesado, ir na direção da avenida principal.

Agora que Chopra podia ver bem o seu rosto, percebeu que Nayak não tinha mudado tanto quanto havia pensado de início. Tirando a barba aparada, o cabelo diferente e os olhos claros – visivelmente por causa de lentes de contato coloridas –, estava certo de que teria reconhecido aquele homem em qualquer lugar.

Nayak ficou parado na frente dele, um homem esquelético e imponente vestindo um terno branco de linho, apoiado em uma bengala. A bengala era feita de marfim, com uma base de prata e empunhadura delicadamente entalhada.

— Gostou? — disse Nayak, percebendo o olhar de Chopra. — Puro marfim de elefante, esculpido a partir de uma única presa retirada de um adulto. Um presente seu, inspetor, de certa forma. Aquela noite, no MIDC, você quase atrapalhou meus planos. Uma bala acertou o meu quadril. Foi só um tiro de raspão – pelo menos foi isso que pensei na hora. Mas a ferida infeccionou; um fragmento de osso foi parar no lugar errado. Os médicos tiveram que operar. Não fizeram um bom trabalho, como pode ver. Tirem a mordaça.

Chopra sentiu mãos ásperas retirando-lhe a mordaça. Ele respirou bem fundo enquanto o trapo caía.

— Deve ter tantas perguntas — disse Nayak.

— Por quê? — questionou Chopra finalmente.

— Tive que desaparecer. As coisas iam mal para mim. Estávamos no meio de uma guerra de gangues, os velhos chefões lutavam para manter o poder. Eles se juntaram, uniram forças; mais cedo ou mais tarde, teriam acabado comigo. E havia também você e a força-tarefa especial, cada vez mais próximos. Dava para sentir a corda apertando em volta do meu pescoço. Suponho que poderia ter tentado abrir meu caminho a bala. Mas preferi usar isso. — Nayak deu um tapinha no lado da cabeça. — Tudo aquilo no MIDC foi uma armação. Apenas um dos meus homens tinha conhecimento do que eu pretendia fazer, um subordinado leal que sabia que eu tinha plantado a informação na polícia, sabia que haveria um ataque surpresa, sabia que nós iniciaríamos o tiroteio, sabia que eu substituiria meu "cadáver" pelo de outra pessoa. Era uma estratégia de alto risco, muitas coisas poderiam dar errado. Mas tinha que parecer real, senão nunca teria enganado você.

— De quem era o corpo que encontramos?

— Do subordinado leal a mim. Eu não podia deixar nenhuma ponta solta. Você compreende, não é, inspetor?

— Como saiu do edifício?

— Vesti um uniforme da polícia e saí mancando com o resto dos seus homens. No meio de toda a fumaça e do caos provocado pelo incêndio, ninguém percebeu. No dia seguinte, já estava fora da cidade; um dia depois, em Dubai. — Nayak mudou a forma de se apoiar na bengala. — Já esteve em Dubai? Recomendo muito. Para uma pessoa como eu, é como se fosse a Meca. Vinha investindo ali há muito tempo. Em um mês, já estava de volta aos negócios. Mas, dessa vez, permaneci nas sombras. Você me ensinou uma lição valorosa, Chopra – não há nada a se ganhar sendo um herói. Nesse negócio, os que chegam a uma idade avançada são aqueles que agem com cautela, administram os riscos e afastam-se dos holofotes. Nos últimos nove anos reconstruí minha organização; ela agora é mais forte do que jamais foi. Drogas, armas, mercado imobiliário.... Qualquer coisa em que conseguir pensar, estou ganhando dinheiro com ela. Mas quase ninguém sequer sabe que existo. Esse é o verdadeiro segredo!

— E vou lhe dizer mais uma coisa: estou mais velho, estou mais sábio. Sei com o que devo gastar meu dinheiro agora. Não mais com os adornos chamativos que agradam a um jovem, mas com a única coisa que pode garantir uma vida longa e próspera. Sabe o que é isso? Poder. Com o dinheiro que ganho, compro *poder*. — Nayak sorriu. — Sabe, existe até uma palavra para pessoas como eu agora: *empreendedor*.

— E mesmo assim — disse Chopra —, com toda essa conversa refinada, com as roupas bem cortadas, você não passa de um bandido insignificante. Um *goonda*.

Por um instante, Nayak ficou em silêncio. Então, sorriu com pesar.

— É uma pena que nossos caminhos tenham se cruzado novamente, Chopra. O mundo é um lugar bem mais interessante quando há homens como você nele.

Ele deu meia-volta e saiu.

Shetty agora falava com os dois capangas.

— Levem-no para a praia. Joguem no mar. Tem que parecer um afogamento. Nada de facas, nada de balas, nada de socos – entenderam, idiotas? Já deixaram um hematoma na cabeça dele. Se fizerem bobagem de novo, vão para a água junto com ele. — Shetty olhou para Chopra e deu um sorrisinho. — O que acha da ideia do chefe, inspetor? "Policial recém-aposentado comete suicídio". "Inspetor deprimido se afoga". Bom demais, não?

— Foi você que o matou? — perguntou Chopra.

— Matei quem?

— O rapaz. Santosh Achrekar.

Shetty franziu a testa.

— Santosh? Pobre garoto. Ele se matou. O negócio dos suicídios está virando moda. — Ele gargalhou bem alto.

— Por quê? — perguntou Chopra. — Por que ele teve que morrer?

Shetty parou de rir.

— Sabe qual é o seu problema, inspetor? Faz perguntas demais. O garoto ficou para a história. Quem se importa com o porquê?

— Eu me importo.

— E é por isso que está sentado aqui agora — resmungou Shetty, começando a se cansar daquele jogo. — Vamos lá, por que estão olhando para minha cara, seus idiotas? Tirem ele daqui. — Shetty apontou sua automática para os dois capangas. — Quando terminarem, quero os dois fora da cidade por algumas semanas. Vão para o escritório de Pune.

— Mas, chefe, e a... carga?

— Vocês não têm que se preocupar com isso. Mangesh e Namdeo vão chegar a qualquer momento. Eu mesmo volto em algumas horas. Não quero ver suas caras feias por aqui quando estiver de volta.

A mordaça foi recolocada na boca de Chopra. Ele sentiu as cordas que o amarravam afrouxando e depois sendo removidas. Mãos brutas o levantaram. Ele tentou resistir, mas seus captores eram fortes demais.

Acompanhado por um capanga de cada lado, ele foi arrastado para o convés, depois para o píer, e dali para a praia deserta. A chuva tinha enfraquecido momentaneamente; agora, caía apenas como um leve borrifo. O som da rebentação era um sussurro suave que preencheu Chopra com uma repentina sensação de calma. A areia molhada grudava nas solas dos seus sapatos.

Os capangas o seguraram de pé enquanto se viravam e viam a Mercedes branca indo embora. Shetty seguiu a Mercedes em sua moto.

— Vamos lá! — Um dos capangas empurrou as costas de Chopra, derrubando-o de joelhos na água. Ele ficou ali parado por um instante, como um muçulmano prestes a iniciar suas preces. Então, foi erguido de forma bruta para ficar em pé de novo, e arrastado para a frente até que estivessem os três mergulhados até o joelho na agitada água negra. Uma lata velha foi trazida pela rebentação e ricocheteou na perna dele. Com uma rapidez de movimento que não correspondia ao seu tamanho, um dos capangas segurou os braços de Chopra atrás das costas. O outro tirou a mordaça, mas antes que Chopra tivesse a chance de gritar, uma mão bruta o agarrou pelo cabelo e empurrou sua cabeça para dentro da água. Seu rosto submergiu de forma terrivelmente brusca.

Ele se debateu, mas a mão que o segurava pela cabeça era implacável; havia um joelho cravado em suas costas. Ele prendeu a respiração, contorcendo-se o máximo que pôde; de repente, o joelho escorregou. Com um esforço monumental ele se soltou da mão que segurava seu crânio e levantou, respirando bem fundo e com dificuldade ao sair da água. Os dois bandidos, um dos quais havia caído na espuma da rebentação, começaram a brigar com ele.

De canto de olho, Chopra viu uma silhueta cinza abrindo caminho pela areia. De repente, Ganesha se materializou no meio da chuva e correu para cima de um dos capangas, acertando-o com força nos quadris. Chopra ouviu ossos quebrando; o bandido gritou e cambaleou para trás na direção da água. O outro bandido, com os olhos arregalados de surpresa, buscou sua pistola na calça, mas a arma caiu de suas mãos molhadas e escorregadias e se perdeu no mar. Ele ficou de quatro, tateando debaixo da água e tentando encontrá-la.

Enquanto Chopra observava, paralisado de espanto, Ganesha deu uma cabeçada no homem por trás, derrubando-o de cara na água. Então, avançando depressa, o elefante pisou nas costas do capanga e depois em sua cabeça.

Chopra recobrou a razão. Não tinha ideia de como ou por que o que tinha acabado de acontecer tinha acontecido. Mas aconteceu, de qualquer jeito.

Ele tentou imaginar como Ganesha poderia ter lhe encontrado.

A praia de Versova ficava a pelo menos uma hora de caminhada de sua casa. Ele sabia que poucas pessoas estranhariam um elefante perambulando pelas ruas de Mumbai. O que ele não entendia era como esse elefante havia descoberto onde ele estava.

Chopra tinha lido que muitos animais possuíam sentidos que ainda eram um mistério para os seres humanos, em especial os referentes às suas habilidades de rastreamento e navegação. Lera no livro do Dr. Harpal Singh que a tromba dava aos elefantes um olfato com uma precisão única, capaz de detectar cheiros a vários quilômetros de distância. Ele sabia que em épocas de seca os elefantes se mostravam capazes de detectar onde havia água, mesmo que essa água estivesse a mais de quinze quilômetros de distância.... No fim das contas, a única coisa que realmente importava era que ele estava vivo.

— Vamos, garoto — ele disse, dando tapinhas no flanco de Ganesha.

Chopra correu de volta pela areia molhada, subiu os degraus de pedra até a calçada de concreto e correu para a vila de pescadores, com Ganesha em sua cola.

Quando Chopra voltou ao seu condomínio, ele primeiro acomodou Ganesha no térreo, perto da guarita. Era hora do elefante sair do apartamento.

Ele se abaixou e acariciou a cabeça do animal, enquanto Bahadur os observava com olhos arregalados.

— Você salvou minha vida, garoto — Chopra murmurou.

Ganesha bocejou e se esparramou no chão. Piscou, depois fechou os olhos. Os esforços daquela noite o haviam deixado exausto. Eles tinham voltado a pé da vila, com Chopra forçando um ritmo firme pelas ruas ainda silenciosas. Tinha percebido que o elefante estava fatigado, mas sabia que o tempo era uma questão essencial agora. Um plano já estava se formando em sua cabeça...

Em instantes, Ganesha já dormia profundamente.

No apartamento, Chopra encontrou Poppy encolhida no sofá. Ele sabia que ela devia ter ficado esperando por ele, finalmente deixando a aflição dar lugar a um sono agitado. Chopra considerou acordá-la, mas logo desistiu da ideia. Ainda estava abalado e não se sentia preparado para conversar com alguém sobre o que havia se passado aquela noite.

Ele entrou no escritório, sentou-se na poltrona de vime e fechou os olhos.

Ainda não conseguia acreditar que estava vivo. Quão perto ele tinha ficado da morte? Já tinha até sentido o gosto da morte, tudo menos aceita-la, ido até a metade do caminho e voltado. Mas agora, miraculosamente, estava de volta à terra dos vivos. Chopra levou as mãos ao rosto. Percebeu que estava chorando.

Depois, voltou à sala e ficou olhando para o rosto de sua esposa adormecida. Imaginou-a novamente como viúva. Se ele bem conhecia Poppy, ela faria um escarcéu. Adorava fazer cena e drama... Mas, no fim das contas, sua esposa era irrepreensível, uma força da natureza. Ela sobreviveria.

Chopra foi até a janela e olhou para a cidade adormecida. Sua cidade. Sim, era assim que ele sempre pensou em Mumbai. *Sua* cidade. Sua, porque sentia que tinha uma responsabilidade para com ela. As pessoas diziam que ele havia herdado esse senso de responsabilidade de seu pai, mas Chopra não acreditava nisso. Não se tratava de algo que se pudesse herdar, como a cor dos olhos ou dos cabelos. Um senso como esse tinha que nascer com cada um, tinha que ser alimentado por decisões tomadas, principalmente nos momentos mais críticos da vida. Momentos como o atual.

Chopra não acordou Poppy. Ela não entenderia o que ele estava prestes a fazer. Em vez disso, pegou um bloco de notas na mesinha onde ficava o telefone e escreveu uma mensagem. "Querida Poppy, não se preocupe. Está tudo bem comigo. Precisei sair. Volto logo. Explico depois. Ashwin".

Ele deixou o bilhete sobre a mesa, deu uma última olhada em sua esposa e voltou a descer.

Encontrou Ganesha encolhido em seu buraco perto do poste de metal. Bahadur havia prendido novamente a corrente em volta do pescoço do elefantinho. Chopra observou a expressão ingênua na cara adormecida de Ganesha. Aquilo havia realmente acontecido? Ou tinha sido um sonho incrível? Como o elefante o havia encontrado? Como ele sabia? Nada daquilo fazia sentido.

Chopra se deu conta de que talvez nunca soubesse as respostas para aquelas perguntas. A única coisa de que tinha certeza era o que havia lhe dito seu tio Bansi: "ele não é um elefante comum".

Chopra se lembrou de algo que havia lido na biografia de Harriet Fortinbrass: "A mitologia indiana eleva o elefante à posição de *navratna*, uma das nove joias que apareceram quando deuses e demônios exploraram os oceanos em busca do elixir da vida. Os indianos estão convencidos de que os elefantes possuem poderem místicos e uma empatia inata pelo sofrimento da humanidade. Eles são nossos amigos; eles são nossos guardiões".

Chopra tinha que agir com rapidez.

Pegou um riquixá de volta a Versova e foi até a vila de pescadores. Já estava quase amanhecendo. Logo os moradores da vila estariam agitados com seus afazeres.

Ele encontrou sua Enfield onde a havia deixado, escondida atrás dos tonéis, sobre a área de concreto perto da praia. Olhou para a traineira na qual havia sido tão recentemente aprisionado. No fim do cais, estacionada perto do ancoradouro, avistou a Honda Hero de Shetty. Ele havia voltado, conforme o prometido.

Chopra olhou para as ondas. Não havia sinal dos corpos dos dois capangas. O mar, esse supremo coletor do lixo humano, havia feito sua parte.

Ele se acomodou para aguardar, sabendo que, em termos de imprudência, o que estava fazendo excedia, e muito, tudo o que havia feito até então. Mas ele já não se importava mais com as consequências; sentia-se como um homem que já havia morrido e estava fazendo hora extra no mundo. A única coisa que importava era finalizar a missão que havia atribuído a si mesmo.

Trinta minutos depois, quando o sol estava nascendo, Shetty apareceu. Chopra viu-o montar na moto, pisar no pedal e sair.

Ele o seguiu pela Yari Road, voltando pela Andheri West e chegando à Sahar.

No sentido leste da Sahar, entrou no novo e sofisticado empreendimento Mount Kailash. Era um, dentre vários, novos imóveis erguidos nos subúrbios, projetados para atender ao aumento da riqueza na cidade e ao êxodo da abarrotada zona sul. Bangalôs largos e bem construídos ocupavam os dois lados da via, cada um deles com um portão extravagante e seguranças do lado de fora. Shetty parou no portão de uma mansão particularmente luxuosa. Conversou um pouco com os guardas, que claramente o conheciam. Então, o portão se abriu e ele entrou com a moto.

Chopra contou até cem e depois virou sua moto na direção do portão. Fez sinal para um dos guardas.

— Ei, você! Estou procurando pela casa de Prakash Jain. Sabe onde fica?

O guarda trocou olhares com seu colega.

— Não, senhor.

— E essa aqui? — disse Chopra. — Tem certeza de que não é a casa dele?

— Não, senhor — sorriu o guarda. — Esta é a casa de Jaitley Sahib.

— Jaitley? Ah, eu já ouvi falar dele. O Sr. Jain me falou dele. É um homem alto, usa ternos brancos, anda com uma bengala de marfim, não é?

— Isso, isso — assentiu o guarda com entusiasmo.

Chopra foi embora.

Então, era aqui que Kala Nayak vivia agora. Bem à vista! Há quantos anos estava aqui, bem debaixo do nariz de Chopra? Como isso era possível? Como ele não tinha escutado nada a respeito, como nenhum de seus informantes nas ruas tinha escutado nada a respeito?

No fim, não importava. Nayak estava de volta à cidade de Chopra, e agora ele sabia onde o bandido morava. E o melhor é que não restavam mais dúvidas: Nayak estava por trás da morte de Santosh Achrekar. Santosh havia trabalhado para o executivo Arun Jaitley, alter ego de Nayak. Chopra ainda não sabia por que Santosh havia sido assassinado, mas jurou para si mesmo que descobriria.

Ele precisava planejar seus próximos passos com muito cuidado. Com quem ele podia contar? Não com o CAP Suresh Rao, com quem sempre teve desavenças. Talvez seu velho amigo CAP Ajit Shinde acreditasse nele, ligasse para seus superiores em Mumbai e os convencesse em nome de Chopra do que ocorria. Mas Shinde estava do outro lado do país, nas selvas de Gadchiroli, combatendo naxalitas. Será que atenderia prontamente o pedido de um amigo? Ou o colocaria em uma lista de afazeres para resolver depois? E então, quando finalmente tivesse tempo para ligar e averiguar, verificaria antes o próprio Chopra, provavelmente com o inspetor Suryavansh?

Chopra imaginou a conversa entre eles: "O velho Chopra veio com uma história inacreditável. É mesmo verdade?"; "Nayak ainda vivo? Que absurdo! E de volta à cidade, debaixo de nossos narizes? Ridículo!"; "Chopra parecia ter muita certeza da informação. Disse que viu o homem com seus próprios olhos. "; "Bem, a aposentadoria faz coisas estranhas com um homem. E ele andou bem doente. Problema de coração e tudo o mais. Muito estressante, eu imagino. "; "Que pena, ele era um sujeito tão confiável".

    Não, pensou Chopra. Ele não ligaria para o CAP Ajit Shinde. Mas havia uma outra pessoa que poderia ajudá-lo. Alguém que desejava o bem da cidade, principalmente da área de Sahar, e que tinha poderes para fazer algo por ela.

UMA REUNIÃO COM UM MEMBRO DA ASSEMBLÉIA LEGISLATIVA

O gabinete de Ashok Kalyan, membro da Assembleia Legislativa de Andheri Leste, ficava em um austero prédio de arenito na Sahar Road. As dependências eram anunciadas por um grande *outdoor* no meio da elevação frontal, que ostentava uma imagem colorida, pintada a mão, de Ashok ao lado do sorridente líder do partido, enquanto outros membros formavam um semicírculo e os observavam, impressionados. Ao fundo, o logotipo e o slogan do partido: "Dos bastidores, colocando o cidadão comum como prioridade".

Chopra sabia que, se Ashok quisesse, poderia ter se transferido para um local muito mais sofisticado. Mas ele era uma pessoa sagaz. "Como posso ser um homem do povo se não vivo como o povo?", ele havia explicado com um grande sorriso em seu rosto cordial.

Este último encontro havia acontecido há quase cinco anos, na época das últimas eleições, quando Ashok ganhou pela primeira vez um cargo na Assembleia Legislativa do estado. Desde então, Chopra passou a visitá-lo de vez em quando, mas as visitas foram rareando à medida que os dois ficavam cada vez mais ocupados, principalmente Ashok. Ainda assim, continuaram a se falar pelo telefone, trocavam cumprimentos no Diwali, um perguntava sobre a família do outro e compartilhavam informações gerais sobre suas carreiras. Como ex-policial e agora deputado estadual, Ashok ainda nutria muito interesse pelo policiamento local. Ele trabalhava em conjunto com o quase aposentado Ministro do Interior do estado, cujas atribuições incluíam a lei e a ordem em Maharashtra. Havia rumores de que Ashok seria promovido por seu partido a substituto do ministro.

Havia um segurança na porta da sala de Ashok. Parecia que o homem do povo agora precisava de proteção contra o seu próprio povo.

Durante as eleições, muitos políticos haviam sido atacados em todo o país. A disparidade entre ricos e pobres crescia drasticamente, e o homem comum estava começando a ficar de saco cheio. Enquanto o governo falava sobre "a Índia brilhando", a oposição perguntava: "brilhando para *quem?* ". Não ajudava muito o fato de muitos políticos terem enchido abertamente os próprios bolsos enquanto fingiam estar a serviço das massas. Infelizmente, mesmo os bons eram considerados farinha do mesmo saco.

Através da porta de vidro da sala de Ashok, Chopra avistou o velho amigo sentado atrás de sua mesa, com um jovem assistente por perto segurando uma prancheta.

Chopra bateu na porta de vidro, ignorando os protestos de um segurança vestido com uma roupa cáqui. Ashok levantou os olhos. Por um instante, pareceu irritar-se com a interrupção, mas logo reconheceu Chopra e abriu um sorriso. Ele se levantou, passou pelo assistente e abriu a porta.

— Ashwin! O que está fazendo aqui?

Os dois homens se abraçaram. Ashok fez sinal para que Chopra entrasse em sua sala e o encaminhou para uma cadeira de madeira. O assistente ficou rodeando os dois como um morcego nervoso.

— O que posso lhe servir? Chá? Refrigerante?

— Não quero nada — respondeu Chopra.

— Que bobagem — disse Ashok. — É a primeira vez que nos encontramos depois de muito tempo e não posso nem oferecer uma bebida ao meu velho amigo? É uma pena você ser abstêmio, tenho uma garrafa de Johnnie Walker no hotel Ambassador. Raju, vá lá embaixo comprar um refrigerante Limca para o inspetor sahib.

— Mas, senhor, os papéis...

— Sim, sim, eu olho em um minuto. Vamos, vá agora. — O assistente saiu com uma expressão contrariada.

— O problema desses jovens modernos — suspirou Ashok — é que eles acham que tudo pode ser feito em um dia. Eles não têm ideia de como as coisas realmente funcionam. Eles entram no meu escritório sem a mínima ideia de quantas manobras e quantos esforços são necessários para efetuar a menor das mudanças nessa nossa grande nação. Bem, de qualquer jeito, como a aposentadoria está tratando você?

— Nada bem — respondeu Chopra. — Ashok, preciso da sua ajuda.

Ashok ficou olhando para ele com um sorriso que sugeria interesse.

— Você disse isso com uma expressão tão séria que alguém é capaz de pensar que carrega o peso do mundo nos ombros. Corrija-me se eu estiver errado, mas a aposentadoria não deveria ser o momento de relaxar e deixar outra pessoa lidar com todos os problemas?

— Existem problemas com os quais um homem precisa lidar sozinho.

Ashok sacudiu a cabeça e riu.

— O bom e velho Ashwin. O que o incomoda, velho amigo?

— Kala Nayak está de volta. — Rapidamente, Chopra explicou o que havia descoberto, depois disse: — Sei que é difícil acreditar no que estou dizendo, mas eu o vi, falei com ele. É ele.

Ashok Kalyan ficou olhando atentamente para Chopra. O deputado era um homem bonito, tinha cabelos pretos cacheados, um bigode bem cuidado e vestia uma kurta branca que contrastava com sua pele cor de café. Os olhos irradiavam cordialidade e seu sorriso, Chopra sempre achou, era como uma garantia pessoal de amizade e confiança. Sobre a mesa de Ashok estava seu chapéu Nehru, que ele havia adotado como sua marca registrada alguns anos antes.

Duas décadas atrás, Ashok fez a transição da polícia para a política com muita habilidade. Diferentemente de Chopra, ele sempre foi um excelente orador público, um sujeito aberto e acessível, de mentalidade bastante flexível. Alto e robusto, ele também demonstrava um dinamismo físico que o tornava popular com as massas, como se fosse seu próprio herói de Bollywood. Chopra perguntava a ele com frequência por que havia optado por se mudar para o nebuloso mundo da administração pública. Ashok sempre tratava as preocupações do amigo com bom humor.

— Temos tantos bandidos em nosso governo — ele brincava —, que já estava na hora de termos também um ou dois policiais.

Ashok construiu rapidamente sua reputação com sua postura direta e carisma indubitável. E quando seus comícios começaram a encher cada vez mais, os líderes do partido passaram a observá-lo. Ele havia progredido de vereador a deputado estadual com uma certa facilidade, era uma estrela em ascensão na qual os outros viam, ao mesmo tempo, possibilidade e oportunidade. Agora, com um Ministério do Interior acenando para ele, havia até a esperança de que, se seu partido fosse bem-sucedido nas atuais eleições gerais – como muitos especialistas previam que seria –, ele pudesse até acabar em um cargo no Gabinete Nacional em um futuro não muito distante. "Imagine só!", ele havia dito a Chopra na última vez em que se falaram ao telefone. "Um rapaz do nosso vilarejo sendo ouvido diretamente pelo primeiro-ministro da Índia! O que você acha que eu deveria pedir?".

Ashok se levantou e caminhou lentamente até a janela.

— Venha até aqui — ele disse. Chopra levantou e se juntou a ele. — Olhe lá para baixo. Diga-me o que você vê.

Chopra olhou para baixo, para as ruas e para o trânsito. Aquele era um bairro pobre e havia poucos carros caros. Os Toyotas e Skodas, que agora eram uma visão comum nos bairros residenciais mais ricos, não existiam nessa região. Aqui, os autorriquixás dominavam as ruas, lutando ferozmente por espaço nas vias com Marutis amassados, motociclistas psicóticos e carroceiros intransigentes. Mulheres carregando grandes cestas de frutas e peixe seco equilibravam-se pelas ruas, obstinadamente perseguidas por crianças pedintes de rua.

Do outro lado da rua, um edifício estava sendo construído. Um *outdoor* branco declarava que seria o "HOSPITAL GERAL DOUTOR AMBEDEKAR". Um andaime de bambu cercava os três andares semiacabados. Uma via estreita passava por um lado do prédio. Na via, Chopra podia ver uma série de homens agachados defecando no esgoto a céu-aberto que corria ao lado do novo hospital. Os homens conversavam entre si, com seus kurta-pajamas abaixados até os tornozelos e cigarros na boca.

— Todo dia eu venho até essa janela e olho para fora — disse Ashok. — Em quatro anos, aquele hospital mal subiu dois andares. E não foi por falta de tentativas. Mas assim como eu sei que se conseguir terminar essa obra acrescentarei muito à minha reputação e à reputação do meu partido, há outros que sabem que cada dia de atraso me prejudica. E, então, olho para aquela pequena viela e vejo homens adultos se abaixando em plena luz do dia para cagar na parede do hospital, como se fosse a coisa mais natural do mundo. E começo a rir. Às vezes, eu rio tanto que lágrimas escorrem de meus olhos. Diga, velho amigo, em que outro lugar do mundo alguém poderia ver essas coisas?

Ashok se virou para Chopra.

— Homens como Nayak são uma face horrível da nossa nação, que preferimos fingir que não existem. Como aqueles homens lá embaixo, cagando na parede do mesmo hospital que pode, um dia, salvar a vida deles. Se você me diz que ele está vivo e em plena atividade, eu acredito. Se diz que devemos fazer alguma coisa, então alguma coisa tem que ser feita. Eu vou ajudar de todas as formas que puder. Mas, serei sincero, não vai ser fácil convencer o comissário a investigar esse assunto. Seus recursos, assim como suas preocupações, estão atualmente voltados para as eleições. Comícios e revoltas, meu amigo, são as questões que perturbam os chefes de polícia dessa cidade. Para eles, Kala Nayak é um assunto velho, morto e enterrado, como a maior parte do submundo do crime. Os dias de gângsteres dominando a cidade ficaram no passado. Eles são uma raça em extinção, que correm como ratos de nossos corajosos homens uniformizados.

Ashok colocou a mão no ombro de Chopra.

— Pelo bem de nós dois, espero que você não esteja enganado. Cobrarei alguns favores valiosos ao solicitar a investigação desse caso – e, na minha área, favores são tudo. Porém, você sabe o que dizem por aí: se alguém vive na merda, não pode cheirar a rosas.

O assistente voltou. Com muita cerimônia, entregou a Chopra uma garrafa de Limca gelado. Também entregou a Ashok um pequeno pacote cheiroso embrulhado em jornal.

— Para o senhor — disse o assistente. Chopra notou que ele era ainda mais jovem do que tinha pensado. Um rapaz esguio e bem-apessoado, com cabelos penteados para trás e vestígios do início de um bigode.

Ashok abriu um sorriso.

— Está vendo isso, Ashwin? É por isso que a Índia é excelente! Os jovens! Já somos um bilhão, e a maior parte desse bilhão é composta por indivíduos jovens, ambiciosos e extremamente competentes, como meu Raju aqui. Todos os dias, a essa hora, ele vai buscar meu lanche preferido, independentemente de eu pedir ou não. Ele sabe que isso vai me deixar feliz. E, quando estou feliz, Raju sabe que vou assinar seus papéis e ouvi-lo dizer o que preciso fazer em seguida. Não é verdade, Raju?

O jovem murmurou algo que Chopra não conseguiu escutar, e pareceu incomodado quando Ashok continuou sorrindo para ele.

— Não seja tímido. Conte ao inspetor como se saiu nas provas do ensino médio.

— Eu fui o melhor do estado, senhor — murmurou o rapaz, constrangido.

— O melhor do estado! Ouviu isso, velho amigo? O melhor do estado! E onde você cresceu, Raju?

Uma onda de constrangimento tomou conta do rosto do rapaz.

— Hein?

— Em um orfanato, senhor.

— Em um orfanato! — repetiu Ashok. — Sabe o que é preciso para sair de um lugar como um orfanato? É preciso determinação. E mais uma coisa também: um pouco de ajuda. O triste em nosso país é que existem muitos jovens como Raju, que têm o potencial, mas não os contatos para seguir em frente. Mesmo nas maiores multinacionais, os antigos códigos de nepotismo ainda têm influência. Depende de pessoas como eu dar aos Rajus desse mundo uma oportunidade para provar seu valor. É por isso que tenho como regra pessoal não me cercar de bajuladores e de jovens bonitas de saia curta e sorrisos vazios. Em vez disso, encontro jovens como o Raju aqui, que reviram os olhos para mim quando acham que não estou vendo e me reprovam em voz baixa quando sou negligente em meu dever.

— Mas, senhor...!

— Ah, não negue — disse Ashok com bom humor. Ele abriu o embrulho e o aroma de samosas quentinhas preencheram a sala. — Ahhh! — Ele respirou fundo de maneira exagerada. — Isso não lhe traz lembranças do velho tio Hari lá do vilarejo?

Ouviu-se uma batida forte na porta e o segurança entrou.

— Senhor! — ele exclamou. — Há um peticionário de Sakinaka no saguão! Ele está ameaçando atear fogo ao próprio corpo!

Ashok revirou os olhos.

— De novo? — Ele sorriu para Chopra. — Não se preocupe. Esse drama acontece quase toda semana. Tudo que o pobre sujeito quer é um pouco de atenção. Na verdade, eu deveria mandar prendê-lo, mas não tenho coragem de fazer isso. Espere aqui, meu velho amigo. Eu volto já.

— Mas, senhor, e o comício em Shivaji Ground? — protestou Raju, desesperado.

— O comício vai ter que esperar por mim — declarou Ashok de forma assertiva ao sair da sala, ainda com uma samosa na mão. — Afinal, eu sou a principal atração, não sou?

Raju foi atrás dele, lançando um último olhar desesperado para Chopra, como se dissesse: "Está vendo com o que tenho que lidar?".

Chopra voltou à sua cadeira para esperar. As palavras de Ashok o haviam preenchido de um senso renovado de propósito e de determinação para resolver o seu problema. Ele faria de tudo para levar os assassinos de Santosh Achrekar à justiça.

Olhou no relógio de parede atrás da mesa de Ashok. A manhã já chegava ao fim. Presumindo que Ashok pudesse convencer o comissário, uma operação poderia ser organizada para aquela mesma noite. *Três* operações, na verdade. Uma no galpão abandonado em Vile Parle, outra no barco em Versova, e uma terceira na mansão de um tal Arun Jaitley, alter ego de Kala Nayak. Chopra insistiria em estar presente nesta última. Eles protestariam, mas ele estaria lá de qualquer forma. Queria ver a cara de Nayak quando o algemassem. Queria olhar nos olhos dele.

A parede que ficava atrás da mesa estava repleta de fotografias emolduradas, basicamente imagens de Ashok com personalidades famosas. Chopra notou que havia também uma foto de Ashok no vilarejo, sendo homenageado pelo conselho local. Ele sorriu. Ashok nunca perdia uma oportunidade de lembrar a seus eleitores de suas origens humildes. Junto dessa foto havia uma imagem de Gandhi sentado de pernas cruzadas diante de sua charka, fiando algodão. Chopra sabia que, mesmo com seu jeito cínico, Ashok sempre fora um grande fã de Gandhiji. "*Esse* era mesmo bom de conversa 'fiada'", ele dizia, rindo da própria piada. "Ele sabia como vender sua imagem mesmo antes de haver profissionais de relações públicas!".

Havia outras fotos de Ashok com vários políticos importantes, alguns tão velhos e decrépitos nas imagens que, a essa altura, já deviam ter passado para a próxima vida. Havia uma foto com um proeminente astro de cinema de Bollywood, um homem que havia saído da comunidade local. Além disso, muitas fotografias de Ashok com seu público: em comícios, gritando em um microfone, discursando diante de uma multidão de advogados de ternos pretos, sendo homenageado por várias instituições de caridade e organizações beneficen...

Chopra ficou paralisado.

Depois de alguns segundos, ele se levantou da cadeira e foi olhar mais de perto a imagem que havia chamado sua atenção.

A fotografia mostrava Ashok colocando um colar de flores em um elegante jovem de camisa branca e calça azul-marinho. Inúmeros jovens vestidos da mesma forma circundavam o rapaz, observando a cerimônia de premiação. Nos fundos, uma grande faixa que dizia: Evento Esportivo Anual do Orfanato Masculino de Shanti Nagar. Sobre as palavras, a sigla O.M.S.N.

Chopra sentiu um nó na garganta. O.M.S.N... OMSN. Seria possível? Ele voltou para a janela e olhou para a rua. OMSN. Orfanato Masculino de Shanti Nagar.

Chopra observou o hospital construído pela metade do outro lado da rua. Sua mente girava, maquinando possibilidades. Ele estava "viajando" ou havia, por mero acaso, dado de cara com a pista vital que poderia finalmente desvendar o mistério da morte de Santosh Achrekar?

Chopra sabia que havia apenas um jeito de resolver a charada – e teria que descobrir sozinho.

Chopra pegou um autorriquixá até Shanti Nagar, uma comunidade pobre e movimentada, de ruas estreitas e superlotadas, sacadas salientes e uma quantidade enorme de lixo nas ruas.

Parando e pedindo informações, ele encontrou rapidamente o caminho para o Orfanato Masculino de Shanti Nagar.

O prédio parecia um convento, com grandes portões de ferro forjado, janelas fechadas e altos muros brancos. Chopra disse ao segurança que estava ali para visitar o administrador do orfanato. O guarda abriu o portão e depois voltou a ler concentradamente o seu jornal.

O bloco principal do orfanato ficava de frente para um gramado seco e uma estátua de concreto do Dr. T. S. S. Rajan, político e combatente pela liberdade.

Chopra passou pelas portas da frente e entrou em um *hall* de pé-direito baixo, que abrigava vários mostruários com troféus e placas comemorativas. Decorando as paredes, uma série de fotografias ampliadas que mostravam garotos pobres que haviam sido acolhidos pelo orfanato e inseridos em um programa de atividades saudáveis e educativas.

Uma das fotos, decorada com flores, mostrava Ashok Kaylan acompanhado de alguns senhores de expressão séria. A legenda dizia: CONSELHO ADMINISTRATIVO DO ORFANATO MASCULINO DE SHANTI NAGAR. Embaixo da fotografia estavam os nomes dos conselheiros. Ao lado de alguns nomes, entre parênteses, havia as palavras "não se encontra na fotografia". Um dos nomes ao lado do qual isso estava escrito era "Shree Arun Jaitley".

— Com licença, senhor, posso ajudar?

Chopra se virou e encontrou uma senhora de sári azul-marinho olhando para ele com olhos desconfiados. Por um instante, ele não disse nada. Seus pensamentos ainda estavam agitados. Depois falou:

— Eu sou o inspetor Chopra. Tenho algumas perguntas sobre o orfanato.

— Do que se trata, inspetor? — perguntou a mulher.

— De um rapaz desaparecido — respondeu Chopra. Ele se virou novamente para a foto do Conselho Administrativo. — Há quanto tempo o deputado estadual Ashok Kalyan faz parte do conselho do orfanato?

— O senhor Kalyan? Bem, ele foi um dos membros fundadores. Sem sua ajuda, este santuário nunca teria se estabelecido, nem nenhum dos outros quatro orfanatos que administramos. Vamos comemorar nosso quarto aniversário em um mês. Mas o senhor estava falando de um rapaz desaparecido?

Chopra pegou a foto de Santosh Achrekar no bolso e a entregou à mulher.

— Sabe quem é esse rapaz?

A mulher hesitou, até um pouco demais, e respondeu:

— Não. Eu nunca vi esse rapaz antes.

— Tem certeza? — insistiu Chopra.

A mulher não conseguia olhar nos olhos dele.

— Eu já disse que não, senhor. Eu nunca vi esse rapaz. Agora, estamos realmente ocupados, o senhor deve me dar licença.

Ele sabia que a mulher não estava dizendo a verdade.

— Senhora, esse rapaz está morto. Ele foi assassinado. Se não cooperar comigo, será conduzida uma investigação completa. Nós vamos virar esse lugar de cabeça para baixo. Está entendendo?

— Assassinado! Minha nossa! — A mulher parecia genuinamente surpresa. Então, acalmou-se e disse: — Inspetor, o senhor deve fazer o que achar certo. Mas eu estou lhe dizendo que nunca vi esse rapaz.

Ela estreitou os olhos e olhou para ele com um ar desafiador.

Finalmente, Chopra se virou para ir embora. A mulher o viu sair e se apressou pelo corredor de ladrilhos.

Ele parou ao chegar no portão. Olhou para trás e viu a figura de pedra do Dr. T. S. S. Rajan, de óculos e turbante, encarando-o esperançosamente.

Deu meia-volta e voltou para o prédio.

Seus sapatos rangiam conforme caminhava ao longo dos recém-lavados corredores. Do *hall*, seguiu a placa que dizia "Ala dos meninos". Passou por uma sala de aula onde crianças de seis ou sete anos, sentadas em cadeiras de madeira, recitavam em uníssono o que dizia o professor de inglês. Algumas portas depois, encontrou um pequeno ginásio repleto de esteiras azuis. Mais adiante, viu uma porta aberta e olhou lá dentro. Era um dormitório vazio, com duas fileiras de camas de solteiro de frente umas para as outras. Todas meticulosamente arrumadas.

Um pouco mais à frente, encontrou um pequeno quarto no qual havia sido montado um templo. Uma mulher corpulenta de meia-idade, de sári azul-marinho, uniforme padrão dos funcionários do orfanato, acendia incensos diante de uma estátua de Lord Krishna. Chopra esperou que ela terminasse suas preces. A mulher ergueu as palmas juntas à testa, depois se virou.

— Minha nossa! — ela exclamou assustada, levando a mão à garganta.

— Não se assuste — disse ele. — Eu sou o inspetor Chopra e preciso lhe fazer uma pergunta. — Ele pegou a fotografia de Santosh e a segurou sob o nariz da mulher.

Ela olhou para a foto... e depois irrompeu em lágrimas. Enterrou o rosto nas mãos, soluçando.

— Eu disse para ele deixar para lá — ela disse, chorando. — Eu disse que ele estava se colocando em perigo. Mas ele não quis me ouvir.

— *Eu* estou te ouvindo — Chopra afirmou com educação. — Por favor, conte o que aconteceu.

— Eu não posso — respondeu a mulher, ainda chorando e com as mãos no rosto. — Eles vão me matar.

— Ninguém vai lhe fazer mal — garantiu Chopra. — Você tem minha palavra. Agora, comece do início...

Quando Chopra voltou para seu apartamento, descobriu que todos tinham saído. Ele queria falar com Poppy, contar o que estava fazendo, confessar tudo: não apenas sobre a investigação particular da morte de Santosh Achrekar que estava conduzindo, mas também sobre a *outra coisa* e o que aquilo significava para o seu futuro juntos.

Ele sabia que não devia ter guardado segredo de Poppy por tanto tempo. Sabia que devia ter falado com ela naquela manhã, quando escapara da morte por um triz. Ele tinha cometido um erro. Se havia alguém que merecia sua confiança e honestidade, era sua esposa. E, no momento, necessitava desesperadamente compartilhar seus pensamentos com ela.

A informação perturbadora que havia descoberto no orfanato o havia deixado arrasado. Ele precisava falar com Poppy, pelo menos para clarear a mente.

Ela ficaria chocada e furiosa, furiosa com as revelações, mas também furiosa com ele. Poppy havia feito um escarcéu quando ele teve o ataque cardíaco. Ele sabia que ela ficaria extremamente aflita com as coisas que andava fazendo, e até mesmo com os planos para o futuro que ele havia organizado com Shalini Sharma, planos que não conduziriam à vida livre de estresse que Poppy tinha visualizado para eles após sua aposentadoria. E era exatamente por isso que não tinha contado nada a ela.

Mas nada daquilo poderia ter sido feito de outra forma.

Ele tinha quase morrido; e havia uma boa chance de que voltaria a correr perigo. Precisava fazer as pazes com ela antes disso.

Chopra se dirigiu até o térreo.

— Bahadur, onde está a dona Poppy?

Mas Bahadur não sabia onde Poppy estava. Chopra sentiu um puxão no braço. Olhou em volta e viu que Ganesha tinha enrolado a tromba no seu pulso. O elefante se levantara e agora andava para a frente e para trás, um passo para a frente, um passo para trás. Estava visivelmente agitado.

— O que foi, garoto? Qual é o problema?

Chopra acariciou a cabeça do elefantinho. Olhou nos olhos de Ganesha.

— Você sabe o que eu estou indo fazer, não sabe? — ele murmurou. — Eu não sei como você sabe, mas sabe.

De repente, ouviu-se o som de um autorriquixá parando no condomínio. Chopra se virou e viu Poppy avançando em sua direção. Ela parecia profundamente descontente.

— Então — ela disse —, você finalmente decidiu vir para casa.

— Preciso falar com você — disse Chopra.

— É, eu também preciso falar com você — Poppy disse com severidade. — Não sei o que está pensando, Senhor Investigador Importante, mas eu não sou nenhuma menina que nasceu ontem para você me tratar desse jeito.

Ele piscou, confuso.

— O quê? Do que você está falando?

— Você sabe exatamente do que eu estou falando! — exclamou Poppy, levantando a voz. — Apenas me diga, quem é ela?

Chopra começou a suar. A seu lado, Bahadur ouvia ansioso. Ele olhou para cima. Algumas cabeças já iam aparecendo nas janelas, olhando para a cena com crescente interesse.

— Ouça, vamos conversar sobre o que quer que esteja lhe incomodando lá em cima. Aqui não é lugar para isso.

Ele foi para o saguão. Poppy não teve outra escolha a não ser ir atrás dele.

No elevador, ela se recusou a olhar para ele. Em vez disso, disse:

— Apenas me diga, quem é ela?
— Ela quem? — perguntou Chopra exasperadamente.
— Você está dizendo coisas sem sentido, Poppy.
— Ah, então agora a insensata sou eu? Você não me achou insensata no dia em que mandou seu pai implorar por minha mão! Você não me achou insensata nos últimos vinte e quatro anos! Minha mãe estava certa quando me alertou sobre você.

Chopra sentiu que navegava em um mar desconhecido.
— Ouça, certamente você está fazendo alguma confusão.

Mas ela já não estava mais escutando.
— Você achou que poderia enganar a Poppy? Bem, você não perde por esperar.

Eles entraram no apartamento, e Poppy jogou a bolsa de maneira dramática sobre o sofá.
— O que quer que a esteja incomodando... — Chopra começou a dizer, mas ela não lhe deu chance de terminar.
— Eu já vou avisando — disse Poppy com as mãos na cintura —, é ela ou eu!
— Ela *quem?*
— Você sabe quem.
— *Eu* sei quem? — disse Chopra, já profundamente confuso.
— Está vendo — gritou Poppy, olhando para o teto dramaticamente—, ele confessou!

Chopra ficou ali parado, momentaneamente sem saber o que falar ou fazer em seguida. Ele tinha ido até lá para falar com Poppy e amenizar a tensão, mas ela parecia estar sofrendo de algum tipo de delírio. Ele conhecia sua esposa. Seria impossível terem uma conversa sensata até ela se acalmar. Nesse sentido, ela sempre foi muito infantil; irritava-se com facilidade e tinha a estabilidade emocional de uma tempestade.

Poppy foi até o sofá e remexeu nas sacolas.

— Eu quero contar uma outra coisa, inspetor — ela disse, levantando um pacote branco. — Eu sei por que quer ficar com essa vadia. Mas, deixe-me dizer uma coisa: qualquer coisa que ela puder oferecer, eu também posso. Está vendo isso? — Ela balançou o pacote diante do nariz dele. Em letras pretas, as palavras TESTE CASEIRO DE GRAVIDEZ DO DR. REDDY. — Isso mesmo — declarou Poppy. — Eu estou grávida!

Chopra olhou nos olhos da esposa. Ela andou chorando, isso era evidente. Certamente, havia concluído coisas equivocadas sobre ele. E agora, no desespero, *isso*.

— Não é possível — ele disse com calma.

— Milagres podem acontecer — Poppy respondeu com irritação. — Acontecem todos os dias.

Chopra não sabia mais o que dizer. Estava completamente perdido. — Ouça, eu preciso fazer uma coisa agora — ele finalmente disse. — Depois disso, nós vamos conversar.

— Onde você está indo? — gritou Poppy. — Vai voltar para aquela mulherzinha?

— Você não tem ideia do que está falando — afirmou Chopra com suavidade. Depois deu meia-volta e saiu do apartamento.

O subinspetor Rangwalla havia tido uma semana ruim. A saída do inspetor Chopra e a chegada de seu novo chefe haviam colocado muita pressão sobre seu tempo e sua paciência. E o fato de seu novo chefe estar se provando um homem excêntrico, a antítese perfeita de Chopra – alguém que Rangwalla admirava e com quem havia aprendido muita coisa –, era ainda mais irritante.

Rangwalla era um sujeito que se orgulhava de sua habilidade de se adaptar a qualquer ambiente. Havia trabalhado muito tempo em Mumbai para se sentir intimidado por um homem como o inspetor Suryavansh; ainda assim, até mesmo sua tolerância tinha limites. A bebedeira do inspetor não o incomodava; ele conhecia outros policiais que bebiam até cair todas as noites, mas continuavam a ser funcionários capazes. O comportamento ameaçador do inspetor também não o incomodava – ele conhecia muitos homens que gostavam de descarregar seus humores sobre os outros; era capaz de lidar com aquele tipo de personalidade. Não, a gota d'água, no ponto de vista de Rangwalla, havia ocorrido naquela mesma manhã, quando, em apenas seu terceiro dia na delegacia, o bom inspetor havia dado ordens para Rangwalla encerrar o caso Kotak.

O caso Kotak era muito importante para Rangwalla.

O cartão de visita de Sunil Kotak dizia que ele era do ramo de incorporação imobiliária. Na opinião de Rangwalla, devia dizer que o homem era um inescrupuloso bandido.

No decorrer do último ano, Kotak havia conseguido obter o controle, por meios ilícitos, de um condomínio de apartamentos em Sahar ocupado quase exclusivamente por famílias muçulmanas. Assim que Kotak sentiu-se confiante de sua posição, emitiu ordens de despejo para os inquilinos. Aparentemente, havia feito um acordo para vender o terreno a um investidor estrangeiro que pretendia construir uma loja de departamentos no local. Kotak estava prestes a ganhar milhões. As famílias, todas pobres, tinham poucos recursos. Não tinham dinheiro para entrar com um processo na justiça ou para conseguir acomodações similares em outro lugar.... Então, foram procurar Rangwalla.

Ele conhecia pessoalmente várias daquelas famílias. Na verdade, seu primo Jamil morava ali com a esposa, cinco filhos pequenos e os pais idosos, tios de Rangwalla.

Durante oito meses, Rangwalla conduziu investigações sobre Kotak, com a permissão de Chopra. De forma lenta, porém consistente, ele havia progredido, reunindo provas que poderiam colocar o incorporador inescrupuloso atrás das grades, impedindo assim as negociações de venda.

E então, naquela manhã, Kotak esteve na delegacia e passou duas horas com Suryavansh. Saiu com o braço do novo inspetor sobre os ombros, ambos rindo e fazendo piadas, como se fossem melhores amigos a vida inteira.

Uma hora depois, Suryavansh chamou Rangwalla em sua sala. Sem cerimônia, deu ordens para que o caso Kotak fosse encerrado e ele parasse de incomodar o homem. Os protestos de Rangwalla foram sumariamente ignorados.

Quando o telefone tocou, Rangwalla ainda estava irritado.

— Quem é? — ele gritou. Mas seu humor melhorou instantaneamente quando ouviu a voz familiar de Chopra.

— Rangwalla, preciso de sua ajuda — disse Chopra. — Mas é algo que vai ter que esconder do inspetor Suryavansh. Pode me ajudar?

Rangwalla não precisou de muito tempo para se decidir.

UMA BATIDA POLICIAL
NA REGIÃO PORTUÁRIA

Quando Rangwalla chegou na picape azul da polícia, Chopra já esperava por ele no pátio do Edifício Poomalai, com Ganesha ao seu lado.

— Abra a caçamba — pediu Chopra.

Rangwalla olhou para seu antigo chefe e para o elefante e disse:

— Era por isso que queria que viesse de picape, senhor?

Chopra confirmou.

— Você vai ter que confiar em mim, Rangwalla.

Rangwalla deu de ombros. Ele havia respeitado o juízo de Chopra por vinte anos. Não começaria a questioná-lo agora.

Ele abriu a porta traseira da picape e Chopra conduziu Ganesha até a caçamba. De repente, um vulto ergueu-se no banco traseiro, assustando tanto o homem quanto o elefante.

Chopra encarou a figura suada do policial Surat.

— O que está fazendo aqui? — ele perguntou, perplexo.

— Senhor, ouvi o Sr. Rangwalla conversando com o senhor e pedi para vir junto.

— Eu disse para você vir sozinho — Chopra franziu a testa, virando-se para Rangwalla.

— Eu sei, senhor. Desculpe, senhor. Não consegui impedi-lo.

— Por favor, senhor — implorou o policial Surat —, deixe-me ir com vocês! Não vou decepcioná-los.

— Não tenho dúvidas quanto a isso, Surat. Mas isso pode ser muito perigoso. Não quero que se machuque.

— Não tenho medo, senhor.

Chopra ponderou sobre o pedido do jovem rechonchudo, e então balançou a cabeça.

— Meus instintos me dizem para mandá-lo de volta à delegacia. Mas acho que você não vai me escutar mesmo... — Ele deu meia-volta e desceu da picape, e então entrou na cabine com Rangwalla.

— Para onde vamos, senhor?

— Para Versova — disse Chopra.

Quando chegaram à vila de pescadores o sol já havia se posto.

A escuridão encobria o labirinto de vias estreitas. De suas varandas, os residentes da vila observavam interessados a picape da polícia correr em direção à praia. Rangwalla estacionou o veículo na área de concreto que dava para a praia logo abaixo. Chopra saiu e examinou toda a extensão do cais de madeira.

A traineira continuava atracada no mesmo lugar. Chopra supôs que eles ainda não sabiam que ele havia sobrevivido ao tratamento especial dos dois capangas mortos – ou eram tão arrogantes que simplesmente não acreditavam que ele seria burro o suficiente para abrir a boca. Afinal de contas, eles quase já o tinham matado uma vez; na próxima, seriam mais eficientes.

Ele não via ninguém no convés do barco.

— Você trouxe a arma? — perguntou a Rangwalla.

Rangwalla entregou-lhe o revólver de serviço. Chopra verificou o tambor, então ordenou que Rangwalla e Surat o seguissem. Ganesha, que tinha descido da picape, deu alguns passos acompanhando o cais de madeira e então parou. Sua tromba serpenteou quando o odor de peixe seco passou por ele.

Os três homens escalaram a traineira para subir a bordo. Chopra ouviu o som da água quebrando suavemente contra o casco do barco. A porta da casa do leme se abriu e um homem saiu, despreocupado, para o convés. Ele esticou os braços e bocejou, depois coçou a virilha. Atrás dele, o som de um número de dança de Bollywood soprava pelo ar quente da noite. O homem se virou, e ficou cara a cara com Chopra.

— Mas o q...? — começou, mas Chopra o interrompeu com uma coronhada na cabeça. O homem caiu de costas contra a lateral do barco, depois rolou e parou de barriga para baixo. Um fio de sangue escorreu da sua cabeça e pelo convés. Chopra se agachou e pôs o dedo no pescoço do homem. O pulso estava forte.

Ele se levantou e passou pela porta.

A passagem era como se lembrava, com portas que levavam tanto para a direita como para a esquerda. A porta da esquerda era a da casa do leme. Ele sinalizou para Rangwalla e Surat. *A porta da direita*. Então, contando até três em voz baixa, ele chutou a porta e avançou para dentro da sala, com Rangwalla e Surat logo atrás.

Havia dois homens no cômodo, sentados a uma mesa pequena que Chopra já tinha visto antes. Sobre ela, uma garrafa de uísque sem rótulo, cercada de cartas de baralho, e duas pilhas perfeitas de cigarros. Em cima da cama, no canto, um toca-CDs portátil tocava música. Todo o resto parecia exatamente com o que se lembrava: o balde e as redes de pesca em um canto; o pilar no centro, ao qual tinha sido amarrado.

— Levantem-se — disse Chopra, apontando a arma para os dois capangas que o fitavam boquiabertos e perplexos. Os homens trocaram olhares, depois se levantaram devagar.

— Surat, tome as armas deles.

O policial Surat abaixou o rifle e o pendurou no ombro. Revistou rapidamente os dois homens, encontrando duas pistolas.

— Agora — disse Chopra —, quero que me levem até eles.

Um dos capangas, um homem barbado cujo nariz aparentava ter sido quebrado em algum momento do passado, estreitou os olhos.

— Levar você a *quem*? — ele disse, com a voz soando como um rugido.

Chopra deu alguns passos para a frente e colocou o cano de seu revólver na têmpora do homem.

— Se tiver que dizer de novo, será tarde demais, entendeu?

O homem olhou nos olhos de Chopra. O suor escorria por sua testa. Ele então piscou.

— Tudo bem, tudo bem.

Ele os conduziu para fora da sala, passando por outra porta no final da passagem de ligação. A porta dava para uma escada em espiral que levava ao centro da traineira. Os policiais seguiram os dois bandidos para dentro da escuridão.

No andar de baixo, encontraram-se em uma passagem estreita, iluminada apenas por uma única luminária. Cheiro de mofo emanava das paredes. Eles passaram rápido pelo corredor e pararam de frente para uma porta. Chopra ouvia um som baixo e agudo vindo lá de dentro, o mesmo que tinha ouvido da última vez em que estivera no barco. A sala atrás da porta ficava bem embaixo do local onde ele havia sido aprisionado.

— Abra a porta — ele ordenou. O capanga retirou um molho de chaves de um gancho ao lado da porta. De repente, deixou as chaves caírem. Abaixou-se para recuperá-las; suas mãos se demoraram um pouco perto do tornozelo... E, então, ele se levantou urrando, com a lâmina de uma faca brilhando em seu punho. Antes que Chopra tivesse tempo de reagir, o capanga cravou a faca na parte superior do peito do policial Surat.

Ouviu-se um forte estrondo.

O capanga tombou contra a parede. Colocou as mãos sobre a barriga e escorregou para o chão.

Chopra se virou.

Saía fumaça do cano do revólver de Rangwalla. Os olhos do subinspetor estavam encobertos pela escuridão. Ele movimentou o braço e apontou para o segundo capanga, que estava com os olhos arregalados de susto.

Chopra se virou para Surat, que se esforçava ao máximo para se manter de pé. A mão dele segurava o cabo da faca. Chopra viu o sangue escorrendo por entre os dedos do policial.

— Deixe-me dar uma olhada — ele disse.

— Não se preocupe comigo, senhor — disse Surat, fraco. — Estou bem.

Chopra gentilmente tirou os dedos dele do cabo da faca, que havia perfurado a área carnuda entre a região frontal do ombro e o músculo peitoral superior.

— Você é um jovem de muita sorte — disse Chopra, respirando aliviado. — Poderia ter sido muito pior.

Surat deu um fraco sorriso.

— Rangwalla, pegue o kit de primeiros socorros na picape.

— É sério, senhor, não se preocupe comigo — Surat tremia e piscava para afastar o suor de seus olhos. Ele cambaleava.

Chopra ajudou Surat a sentar, tomando cuidado para manter o revólver apontado para o segundo bandido enquanto o fazia.

Eles esperaram até Rangwalla trazer o kit.

Minutos se passaram enquanto o subinspetor embebia o ferimento com antisséptico. Depois, aplicou um esparadrapo.

— Não é grave — ele disse. — Você vai viver, Surat — Deu um tapinha no ombro do policial, um gesto de encorajamento.

Chopra abaixou para verificar o bandido que tinha sido baleado. Os seus olhos estavam fechados e suas mãos, sem vida, apoiadas no colo. A cabeça havia tombado sobre o peito. O sangue formava uma poça entre suas pernas. Ele parecia um bêbado descansando em um beco. Chopra colocou dois dedos no pescoço do homem e esperou. Então, levantou e se virou para o outro capanga.

— Agora, abra a porta.

O capanga se agachou, pegou as chaves e, com as mãos trêmulas, abriu a porta.

Chopra entrou.

Era um espaço de bom tamanho, iluminado por um lampião a óleo que lançava sombras sobre tudo. Na sala, sentados no chão e encostados na parede, havia oito garotos adolescentes. Estavam acorrentados uns aos outros. Grilhões iam de seus tornozelos até argolas de ferro incrustadas no chão. O ruído baixo e agudo vinha dos garotos; um coro de desespero que se expressava sem palavras. Enquanto Chopra avançava pela sala, alguns deles ergueram a cabeça e olharam para ele. Dava para ver a confusão e o sofrimento profundo estampados nos rostos deles. E mais alguma coisa, também. Desespero. Resignação. Eles não esperavam que ninguém viesse buscá-los. Eles não acreditavam em milagres.

— O que *é isso*? — perguntou Rangwalla, olhando ao redor com os olhos semicerrados.

— Isso? — disse Chopra. — Isso é uma prova do mal que os homens são capazes de fazer.

Ele olhou para o capanga.

— Onde estão as chaves para abrir as correntes?

O homem entregou o molho de chaves com o qual tinha aberto a porta.

— Tire as correntes deles.

Um a um, os garotos foram libertados dos grilhões. Eles esfregaram os tornozelos e os punhos, mas não se levantaram do chão. Chopra se virou para Rangwalla.

— Quero que ligue para o inspetor Chedda, na delegacia de Versova. Explique o que descobriu. Diga a ele para mandar uma equipe para cá. Ele vai saber o que fazer.

— Senhor — disse Rangwalla, — e se Chedda for...?

— Eu sei — disse Chopra. — Mas é um risco que temos que correr. Se Nayak comprou proteção para si, será mais difícil. Mas isso aqui não é algo que possa ser ocultado. Não mais.

Ele tornou a se dirigir ao capanga.

— Agora.... Onde está Nayak?

CHOPRA CONFRONTA KALA NAYAK

A picape ecoou pela noite da cidade, passando pelos bares da moda e pelos restaurantes dhabas; pelos mendigos e crianças de rua adormecidas; pelos carroceiros deitados sobre suas carroças; pelos bares de entretenimento adulto que expeliam clientes embriagados e satisfeitos; pelas centrais de atendimento que operavam no fuso horário de outros países; pelas vacas deitadas na beira da estrada; pelos cães vira-latas de olhos cintilantes que rondavam as ruas vazias, reinando mais uma vez, mesmo que apenas por algumas horas sobre seu domínio ancestral.

De vez em quando, Chopra olhava pelo retrovisor. Na traseira da picape, Ganesha estava em silêncio, envolvido pelas sombras. Às vezes, um poste lançava uma explosão de luz sobre os olhos do elefantinho e ele piscava e retorcia a tromba.

Trinta minutos depois, Chopra chegou ao bangalô de Arun Jaitley, também conhecido como Kala Nayak. A chuva começou a cair. A água batia no metal do capô e respingava no para-brisa com gotas grandes e pesadas. Parecia dançar nos feixes de luz saídos dos faróis dos carros.

Durante dois minutos, ele ficou sentado na picape, apenas observando a chuva e o som dos limpadores de para-brisa. Um cachorro passou correndo pela rua, parou diante dos faróis, sacudiu o pelo encharcado e depois foi embora. Nas sarjetas abertas, ratos guinchavam, carregados pela torrente repentina.

Chopra pensou em tudo que havia acontecido. Ele se deu conta de que, quando se aposentou, algo essencial para sua sobrevivência lhe fora tirado. Era algo maior que sua identidade de policial. Era a euforia de montar um quebra-cabeça, a silenciosa sensação de satisfação por saber que a justiça havia sido feita e que ele tinha sido um pequeno instrumento a serviço daquela justiça. Ele sabia agora que, de farda ou sem farda, ele sempre estaria inclinado a buscar a justiça, e essa era uma noção que ele estimava como a uma chama preciosa dentro de si.

Ele saiu da picape. Foi até a caçamba e abriu a porta. Ganesha desceu pela rampa, na direção da chuva. As orelhas do elefantinho sacudiam quando as gotas batiam em seu corpo.

Chopra foi até o portão da mansão de Nayak. Espiou através da grade floreada e viu que, sob a cobertura da guarita, o segurança estava sentado com um motorista de uniforme branco e quepe. Ambos fumavam cigarros e observavam a chuva. Um copo de chá fumegava na mão do motorista.

— Abra o portão — ordenou Chopra.

A chuva batia na cobertura – tum, tum, tum, tum. O guarda se levantou da banqueta e olhou para Chopra através das barras do portão. Não pareceu reconhecê-lo do dia anterior.

— O que deseja, sahib?

— Assunto oficial da polícia — disse Chopra com rispidez. — Vim falar com Nayak.

Instantaneamente, a expressão do segurança assumiu um aspecto assustado, solene. Ele lançou uma olhada rápida e reveladora para o motorista, que já havia largado o copo de chá.

— Sahib, não há nenhum Nayak aqui. Esta casa pertence a Arun Jaitley Sahib.

— Abra o portão — disse Chopra.

O motorista olhou para a rua, na direção da picape da polícia, que aguardava com os faróis ligados, como duas lanças na escuridão.

— Sinto muito, sahib, mas está no lugar errado.

Chopra olhou para a cara do homem. Dava para notar o medo.

O segurança titubeava entre provocar a ira de seu patrão violento e a fúria possivelmente ainda mais brutal da polícia.

Chopra se virou e sumiu na escuridão. O segurança viu-o misturar-se à chuva, e depois voltou para o seu lugar sob o toldo. Ele pegou o cigarro com dedos trêmulos, e então voltou-se para o motorista para pedir sua opinião...

E então, do meio da chuva, surgiu uma forma escura e pesada. Com um breve barrido, Ganesha se jogou contra os portões, derrubando-os das dobradiças. A parte esquerda do portão tombou sobre o cascalho da entrada, enquanto o lado direito saiu rodando e acertou o segurança, que caiu no chão, atordoado.

O motorista havia saltado do seu banco. Por um instante, ficou ali parado, boquiaberto, ainda segurando o copo de chá. Depois, jogou o copo em Ganesha. Dando meia-volta, saiu correndo na chuva, na direção da lateral da casa, perseguido pelo elefantinho.

Chopra atravessou o acesso para carros, pisando no cascalho. Suas roupas estavam ensopadas; ele piscava quando a água escorria de seus cabelos para os cílios.

A casa ficava um pouco afastada do portão, logo depois de uma elaborada fonte de cimento. A chuva tinha enchido a base do chafariz com mais água do que o normal, e a fonte gorgolejava alto, ameaçando transbordar. Atrás da fonte, inúmeros carros de luxo estavam estacionados, incluindo a Mercedes branca.

Chopra olhou para a casa. A fachada da mansão era coberta do mais caro granito. As grandes vidraças formavam iluminados retângulos amarelos no exterior escurecido. Mas não dava para ver nada se movimentando dentro delas.

Ele subiu os degraus de mármore que levavam para a varanda da frente do bangalô. Acima de si, a chuva batia com força no teto. A porta da frente estava aberta. Uma empregada estava parada na entrada, olhando a chuva. Chopra levantou a arma.

— Vá, agora. — A empregada ficou olhando para ele com os olhos arregalados, depois levantou a barra do sári e saiu correndo.

Ele entrou na casa.

Logo se viu em um saguão amplo, todo de mármore. Uma escadaria dupla em espiral, com corrimões decorados com acabamentos em forma de cabeças de leão, levava ao primeiro andar. O saguão tinha decoração de bom-gosto, com grandes urnas chinesas e um conjunto de mesas de teca posicionadas em cada um dos lados de um laguinho. Peixes exóticos nadavam em círculos em volta de uma profusão de ninfeias e flores de lótus flutuantes.

O coração de Chopra estava disparado. Ele segurou firme o revólver, a ponto dos nós de seus dedos ficarem brancos.

Ele se movimentou pelo saguão deserto até chegar a uma passagem adjacente, revestida com esculturas retangulares entalhadas em teca de Mianmar. Elas retratavam cenas do *Ramáiana*, com Lorde Rama lutando contra Ravana por sua amada Sita. Havia algo de mitológico em sua própria situação, pensou Chopra. O herói enfrentando o vilão em um confronto final. Em Mumbai, nem ele conseguia fugir da narrativa dos filmes populares de Bollywood.

Ele entrou em um cômodo decorado de modo tão suntuoso quanto o saguão, com piso de mármore brilhante, um grande lustre e uma enorme mesa de jantar. Havia um quadro gigantesco pendurado na parede, uma cena rural de três donzelas em uma vila, carregando potes às margens de um rio caudaloso. Uma passagem arqueada levava adiante. Ouviu vozes pela abertura. Chopra levantou o revólver e atravessou a passagem, entrando em outro cômodo.

Havia três homens no aposento. Dois deles estavam sentados em sofás de couro vermelho posicionados de frente um para o outro. O terceiro, em pé perto das janelas que iam do chão ao teto, olhava para a escuridão. O que estava em pé era o homem da boina vermelha, que Chopra conhecia como Shetty. Os dois sentados no sofá eram Kala Nayak e Ashok Kalyan.

Quando Chopra entrou na sala, os três homens se viraram ao mesmo tempo. Houve um momento de silêncio e surpresa, e depois Nayak falou:

— Eu esperava que sua experiência no barco o tivesse ensinado a não meter o nariz em meus negócios, inspetor. Parece que eu estava errado.

Shetty saiu de perto das janelas e foi na direção dos sofás.

— Eu falei para você me deixar ir atrás dele — o homem reclamou. Ele encarou Chopra. — Eu teria cortado sua garganta e observado o sangue correr para a sarjeta, junto com seu senso de justiça.

— Você teria causado uma confusão — disse Nayak com agressividade. — E eu não preciso de confusão nesse momento.

Ashok Kalyan se levantou.

— Você se transformou em um homem impaciente, Ashwin. Eu disse para você esperar.

— Por quê? — perguntou Chopra. — Para você me dizer mais mentiras? — O rosto de Chopra fervilhou de raiva enquanto encarava Ashok.

A revelação do envolvimento de Ashok o havia abalado profundamente. O fato de seu amigo de infância, um homem que ele respeitava e amava, ser um criminoso já era ruim o bastante. O fato de ser um homem que explorava crianças em benefício próprio era quase mais do que ele poderia suportar.

Suas mãos rapidamente se cerraram em um punho apertado e isso era tudo o que podia fazer para evitar partir para cima de Kalyan naquele exato momento.

— Mentiras? — Ashok sacudiu a cabeça. — Não. Era para que eu pudesse lhe dizer umas belas verdades, velho amigo.

— E que verdades seriam essas? Sobre o círculo de tráfico de humanos que Nayak estabeleceu em nossa cidade? Sobre os garotos que você o ajuda a encontrar em seus orfanatos? Sobre Santosh Achrekar, que descobriu tudo e ameaçou entregar todos vocês? E por isso ele foi morto?

— Santosh tinha um futuro brilhante pela frente — disse Nayak. — Eu lhe ofereci um caminho para sair da imundície e da pobreza em que nascera. Mas ele jogou sua ingratidão na minha cara. Resolveu que não gostava dos meus negócios. Esqueceu-se da primeira regra do nosso país: não morder a mão que o alimenta. Ele começou a xeretar, a fazer perguntas que não deviam ser feitas. Creio que achava que ia virar um herói. Mas cometeu o erro de confiar na pessoa errada.

Shetty chegou mais perto.

— Santosh pensou que eu o ajudaria a expor a operação. A gente se encontrava na loja do Motilal quando ele ia fazer a contabilidade mensal. Ficamos amigos, por um tempo. Para dizer a verdade, eu até gostava dele. Imagino que ele tenha pensado que podia confiar em mim, porque um dia ele me disse que tinha encontrado alguns documentos na matriz da empresa. Convenceu-se de que a organização estava metida em atividades obscuras. Rá! Que idiota!

— Ele encontrou alguma coisa que o levou ao orfanato, não é? — perguntou Chopra.

— Ele viu os livros de contabilidade. Era apenas uma questão de tempo até ele começar a perguntar por que o que ele acreditava ser uma organização corrupta estava injetando dinheiro em orfanatos. Ele me disse que estava esperando encontrar provas definitivas antes de procurar a polícia. Eu fingi ser solidário; fingi que sabia de tudo, mas que sempre tive medo de ir à polícia por conta própria. Apenas mais uma vítima inocente. Vou dizer uma coisa, eu deveria ganhar um prêmio de atuação dramática!

— Por que ele confiou em você?

— Porque eu lhe disse que ele tinha finalmente me convencido, e que poderíamos derrubar essa operação de tráfico juntos. Eu disse que sabia onde podíamos conseguir a prova de que ele precisava.

— Foi por isso que ele foi à loja do Moti na noite em que foi morto?

Shetty sorriu.

— Naquela noite, eu pedi que ele fosse me encontrar lá. Eu já tinha lhe contado que o dinheiro sujo era lavado por meio das lojas de artigos de couro, que ficava indo de uma loja para a outra até que Nayak Sahib o pudesse colocar de volta em algum negócio "limpo". Ficamos na loja do Moti a noite inteira; eu disse que precisava tomar coragem para fazer o que precisávamos fazer. Dei uma Coca para ele tomar, batizada com drogas. Depois disso, forcei-o a beber uísque comigo. Fingi estar dividido: deveria ajudar ou ficar em silêncio? Ele estava ávido demais para me fazer falar, então bebeu. Um garoto típico, esforçando-se demais para impressionar. Pena que ele não era de beber muito. A essa altura, os comprimidos já estavam fazendo efeito também. Quando percebi que ele já estava mais para lá do que para cá, eu disse que ia mostrar a ele onde os garotos eram mantidos. Na moto, ele estava praticamente inconsciente; quase bati tentando mantê-lo sentado. Eu o levei para o local onde vocês encontraram o corpo. Pouco antes de arrastá-lo até a água, ele acordou. Talvez tivesse alguma ideia do que estava para acontecer – de repente reuniu forças para reagir. Ele me deixou com alguns arranhões, mas não tinha nenhuma chance contra mim. Foi um prazer dar um fim à sua vida miserável.

O dedo de Chopra ficou mais tenso no gatilho do revólver.

Ele sabia que estava à beira de um colapso. Se esse homem dissesse mais uma palavra, atiraria nele a sangue frio. Ele pensou na lista que tinha encontrado no diário de Santosh Achrekar. Ele achava que era uma lista de suborno, mas estava enganado.

Era uma lista dos garotos sequestrados e dos preços que seriam pagos por eles.

Chopra lembrou do seu encontro com a mulher do orfanato. De como ela ficara sabendo, por Santosh Achrekar, que o local onde trabalhava, um local que acreditava estar ajudando os necessitados, era na verdade uma extensão do inferno, a partir do qual era orquestrado o tráfico de escravos infantis. A mulher trêmula havia fornecido muitos detalhes importantes para Santosh, que lhe permitiram investigar mais a fundo, sem se dar conta de que ela estava assinando seu atestado de óbito.

Chopra havia prometido a ela que vingaria a morte de Santosh e colocaria um ponto final nos abusos. Hesitante a princípio, ela finalmente contou o que ele queria saber.

Ele havia descoberto que o orfanato recebia solicitações de instituições de caridade e de organizações beneficentes para acolher crianças. Em um país superlotado e pobre como a Índia, isso era esperado. O orfanato, no entanto, tinha regras rígidas. Só aceitava meninos menores de oito anos e que fossem saudáveis. Aqueles com alguma deficiência ou conexões familiares não eram considerados. Os meninos recebiam educação e eram bem-cuidados. Mas a disciplina era fundamental. Qualquer garoto rebelde ou que não seguisse as ordens sem questionar era devolvido às duras ruas da cidade.

Com o tempo, a mulher notou que nenhum dos potenciais pais adotivos iam ao orfanato. Em vez disso, um comitê de senhores, que alegavam representar uma instituição que ajudava órfãos a encontrar um lar, visitava o local. Muitos meninos iam embora com esses senhores.

Nenhum deles jamais voltou.

Aos funcionários do orfanato, diziam que a organização de recolocação tinha uma taxa de sucesso de cem por cento. Diziam que eles tinham que cumprir sua parte para garantir que esse sucesso continuasse. Diziam que a discrição era tudo.

Chopra se virou para Nayak, mantendo a arma apontada para Shetty.

— Eu vi o depósito em Vile Parle. É lá que você mantém os garotos antes de levá-los para Versova para serem transportados? Enjaulados como animais? Fotografados, para que você possa mandar imagens deles para os "clientes"?

Nayak não disse nada.

— Para onde você os manda?

— O que importa para onde eles vão? — Nayak retrucou depois de um tempo. — Eles são um produto como qualquer outro. Vão para quem pagar mais. Para o Oriente Médio. Para o Sul. Dá na mesma. No mundo dos negócios, não dá para ser sentimental.

— Ouça o que ele está dizendo, meu velho amigo — disse Ashok com calma. — Ouça o que ele está dizendo. Não é tarde demais.

— Não é tarde demais? — Chopra quase cuspiu as palavras. — Eu devia meter uma bala em você agora mesmo.

— De que isso adiantaria? — Ashok cruzou as mãos na frente da barriga. — Deixe-me contar uma história. É sobre um policial, um policial honesto e dedicado que trabalhou a vida toda para preservar os princípios de justiça que alguém lhe ensinara há muito tempo, sem se dar conta de que o país no qual ele aplicava esses princípios com tanta persistência havia mudado, de que os *ideais* desse país haviam mudado. Então, um dia, o policial se aposentou. O que ele tinha para mostrar depois de uma vida de servidão? Uma mansão tão bonita como essa em que estamos? Uma Mercedes estacionada na frente de casa? Não. Devo dizer o que ele tinha depois de uma vida toda de escravidão? Nada. Nem um tostão.

— Dinheiro não é tudo, Ashok.

— Você está errado, meu velho amigo. É a única coisa.

Chopra lembrou-se do que Nayak havia lhe dito na traineira: "Sei com o que devo gastar meu dinheiro agora... Com a única coisa que pode garantir uma vida longa e próspera. Sabe o que é isso? Poder. Com o dinheiro que ganho, compro *poder*".

Sem aviso prévio, Shetty voou entre os sofás e foi diretamente para cima de Chopra. Antes que ele pudesse reagir, Shetty já havia agarrado seu braço, jogando seu peso para trás. Chopra se desequilibrou; os dois homens caíram no chão. A arma disparou.

Houve um momento de profundo silêncio.

Com um gemido, Chopra empurrou o grandalhão para o lado. Ofegante, esforçou-se para levantar. Olhou para Shetty, que estava de barriga para baixo. O sangue escorria sob seu torso. Chopra viu que, escondidos atrás da orelha direita de Shetty, estavam três ferimentos causados por pequenos arranhões.

Um barulho fez Chopra se virar para trás. As portas de vidro estavam abertas; um pouco de chuva entrava. Nayak havia desaparecido.

Ashok, enquanto isso, não se mexeu.

— Não faça isso — ele disse com calma. — Não vai ganhar nada com isso. Nayak passou anos colocando dinheiro nos bolsos certos. Mesmo se conseguir prendê-*lo*, ele nunca vai ver o interior de uma cela de prisão.

— Tenho mais fé que você, Ashok. Ainda existem homens decentes em nosso país.

Chopra correu pelas portas abertas até os jardins da mansão. Logo ficou ensopado. Uma camada sólida de água caía dos céus. Ele mal conseguia enxergar um metro diante do nariz. E, diferentemente de Nayak, ele não conhecia o terreno. Como poderia capturá-lo agora?

Ele saiu correndo.

Uma forma surgiu na escuridão e Chopra atirou por instinto. Ele chegou mais perto. Era uma estátua de concreto de um antílope erguido sobre as duas patas traseiras.

Ele continuou correndo, ainda ofegante. Tomou ciência de seu coração desesperadamente acelerado dentro do peito. Mas não era hora de se preocupar com aquilo.

Ele passou por outra estátua.

Tropeçou e caiu para a frente... dentro da água.

Ficou se debatendo cegamente, como alguém que se afogava. Estava até a cintura de água, com os pés escorregando no limo.

Havia caído em um lago.

Perdeu o equilíbrio novamente e caiu, respirando fundo depois que seu rosto foi parar debaixo da água viscosa. Uma forma passou diante do seu nariz, depois outra. Peixes!

Chopra se equilibrou e se arrastou para a frente, ainda segurando firme o revólver. Chegou à beira da água e, com um suspiro de alívio, começou a sair do lago, até ficar de quatro sobre a borda de concreto que o cercava. Descansou naquela posição por um instante, com a água viscosa do lago escorrendo pelo rosto, a chuva batendo em suas costas como os punhos de uma mulher furiosa...

Um pé surgiu na escuridão, acertando-o nas costelas. Ele caiu de costas, ficando momentaneamente sem ar. A chuva caía em seus olhos. Ele tentou levantar, e então algo o acertou no estômago. Era a ponta da bengala de Nayak. Perdendo o fôlego, ele se dobrou em agonia, com lágrimas escorrendo de seus olhos misturando-se com a chuva. A arma havia escorregado de sua mão. Mas ele não podia pensar nisso agora; seus sentidos haviam sido dominados por essa dor repentina e lancinante, e a batida estrondosa de seu coração nos ouvidos. Será que ele estava tendo outro ataque cardíaco...?

E, de repente, Chopra estava de volta à delegacia de Sahar, dentro da sala de interrogatório, com fortes raios de sol entrando pela grade de metal enferrujada no alto da parede branca.

Ele estava interrogando um homem que Rangwalla havia detido sob acusação de perturbação da ordem pública. O homem, que alegava ser a reencarnação do falecido guru bilionário Sathya Sai Baba, havia parado no centro do mercado de Chakala e informado calmamente a seu público perplexo que uma tonelada de ouro de seus cofres particulares estava enterrada sob o mercado.

Em menos de uma hora, os mais empreendedores já começaram a cavar buracos, ampliando suas buscas progressivamente até fazer com que as ruas próximas ao mercado parecessem um campo de batalha com trincheiras e trânsito caótico.

Chopra estava interrogando o homem, tentando descobrir se ele era um farsante ou apenas maluco... E, de repente, uma pontada de dor perfurou seu peito, rapidamente seguida de outra, e mais outra. O mundo ficou em câmera lenta.

Chopra virou a cabeça para olhar para Rangwalla. O movimento pareceu demorar uma eternidade. Ele agarrou a camisa cáqui, como se quisesse conter a batida dos cascos sob suas costelas... E então sentiu que estava caindo, caindo, caindo...

Quando acordou, o rosto de Poppy foi a primeira coisa que viu. Ele se lembrava agora de sentir a ternura que correu por seu corpo quando sua querida esposa olhou para ele, com lágrimas nos olhos. "Um ataque cardíaco!", ela o censurou. "Quem deu permissão para você ter um ataque cardíaco?".

Ele abriu os olhos e viu Nayak agigantando-se sobre ele em meio à cortina de chuva. Nayak se ajoelhou. Ele estava com o revólver de Chopra na mão.

— Você me causou muitos problemas, Chopra — ele disse, gritando para se fazer ouvir com o barulho da chuva. — Um homem honesto em uma cidade desonesta. É por isso que nunca o abordei. Eu disse a Ashok, quando começamos a fazer negócios juntos, quando começamos a construir nossa base de poder, que você nunca viria para o nosso lado. Um crore, dez crores.... Dizem que todo homem tem seu preço. Mas o único valor que um homem como você vai pedir é o preço de seu próprio funeral.

Nayak ficou em pé. Ele apontou a arma para o peito de Chopra, que sentia o som de seus batimentos cardíacos desacelerando. De repente, ele pensou em Poppy. Poppy, que havia ficado ao seu lado nos bons e nos maus momentos. Poppy e suas lutas intermináveis contra a tirania e a opressão. Poppy e seu medo mórbido de baratas, sua mania de morder o lábio quando estava nervosa, sua insistência em encher o apartamento com porcarias da última moda que suas revistas diziam que ela simplesmente precisava ter. Suas maravilhosas dosas, o modo como massageava seus ombros quando sabia que ele estava cansado, o tempo todo se queixando dos insultos da Sra. Subramanium; o modo como sussurrava em seu ouvido, na noite de cada aniversário de casamento, mesmo depois de tantos anos, que estava muito feliz por Deus ter juntado os dois, porque ela simplesmente não conseguia imaginar passar a vida com outro homem. Sua querida Poppy.

Ele nem teria a chance de dizer adeus. Depois de vinte e quatro anos sendo um bom marido, o destino lhe negaria aquilo. Carma, pensou ele; nada além de carma...

Chopra piscou. Viu Nayak parado sobre ele, com o rosto embaçado pela chuva. Ele piscou mais uma vez. O cano da arma atraía seu olhar como os olhos de uma naja... uma piscadela... Nayak despareceu... uma piscadela... e agora um lampejo... Nayak está dando um salto mortal no ar.

Com um estalo alto, a cabeça do chefão do submundo bateu na borda de concreto do lago. Seu corpo caiu na água agitada. Imediatamente, afundou.

Chopra se apoiou nos cotovelos para levantar. Uma onda de dor tomou conta de suas costelas; o mundo estava girando como um carrossel e ele sentiu uma náusea profunda. A chuva continuava batendo em sua cabeça, colando os cabelos no couro cabeludo, ricocheteando como uma sinfonia de balas sobre os ladrilhos em volta do lago.

Ele sentiu um toque quente em seu rosto e se virou. Ganesha bufou, todo molhado, e depois continuou acariciando seu rosto com a tromba, como se quisesse ter certeza de que Chopra ainda estava inteiro.

Com esforço ele conseguiu se ajoelhar. Segurando as costelas com uma mão, olhou dentro da água.

Nayak boiava, com o rosto submerso.

Chopra entrou no lago e puxou o corpo flutuante. Ele virou Nayak. Os olhos do gângster estavam fechados. Havia um corte profundo e visível em sua testa, no local onde havia batido no concreto.

Chopra trouxe o corpo para a lateral do lago, depois arrastou-o para fora. Tentou fazer massagem cardíaca, mas era tarde demais. Ele estava morto.

Chopra se levantou. Colocou a mão na cabeça de Ganesha. Sabia que, apesar da morte de Nayak, de certo modo era agora que o trabalho duro realmente começava. Ele teria que convocar as autoridades e rezar para que existissem homens incorruptos em número suficiente na frágil casa da justiça indiana para permitir que aquela mesma justiça fosse feita acima de todos os outros participantes corruptos desse show de horrores.

O primeiro deles era seu amigo de infância, Ashok Kalyan.

— Vamos, garoto — ele disse. — Vamos terminar o que começamos.

A AGÊNCIA DE DETETIVES
BABY GANESH

—Por que simplesmente não pode me dizer para onde estamos indo?

O rosto de Poppy era a imagem da preocupação, ainda que mesclada à curiosidade. As últimas quarenta e oito horas tinham sido as mais penosas de que conseguia se lembrar em muito tempo.

Primeiro, houve toda aquela coisa com Kala Nayak e o escândalo da quadrilha de tráfico de pessoas descoberta por seu marido. Ela ainda estava furiosa por ele ficar galanteando pela cidade tentando ser morto, embora tivesse um coração fraco e devesse passar a aposentadoria em casa com os pés para o alto, assistindo críquete e engordando com as refeições caseiras que ela preparava. Chopra havia tentado conversar com ela, presumivelmente para dar algum tipo de explicação medíocre para aquelas atitudes imprudentes, mas ela estava com tanta raiva que não se dispôs a ouvir.

Enquanto isso, os jornais tiveram um dia agitado. Uma rede de políticos e policiais corruptos já havia sido implicada na história, incluindo o deputado estadual Ashok Kalyan. A

Colônia da Força Aérea estava cercada de repórteres querendo se intrometer na vida daquele inspetor aposentado que havia solucionado o caso e, com isso, fizera o chão tremer para os ricos e poderosos.

Graças ao fenômeno que era a imprensa indiana moderna, uma fera enorme, insaciável e de muitas cabeças, todo o país acompanhava o escândalo. No centro do frenesi estavam os órfãos resgatados, personagens de uma emocionante história de fundo humanitário. Naquele momento, eles permaneciam internados no hospital mais caro da cidade, e a sua situação estava sendo usada pelas agências sociais como um exemplo de como a sociedade não se importava com os mais pobres e carentes. O ministro-chefe fazia tudo o que podia para mostrar sua preocupação com os órfãos traumatizados. Já o primeiro-ministro foi forçado a fazer um pronunciamento na televisão, prometendo investigar cada um dos orfanatos do país e garantindo pessoalmente que nunca mais permitiria que acontecesse algo parecido.

Surgiam rapidamente, e aos montes, acusações de outras práticas corruptas pelos políticos mancomunados com os gângsteres. Negociações clandestinas de armamento e esquemas fraudulentos na alimentação de gado. Compra de votos e venda de alvarás para a construção civil. Rios de dinheiro sujo fluindo dos cofres dos criminosos para bandidos ainda piores em cargos políticos.

Para deleite das massas, políticos de todos os tipos estavam se escondendo.

E Chopra havia sido responsável por tudo aquilo... Poppy não fazia ideia de como Ganesha tinha se envolvido, mas os jornalistas pareciam um tanto encantados pela história do parceiro elefante. Infernizavam a vida de Poppy com pedidos constantes de entrevistas, só para que pudessem fazer perguntas rasas sobre Ganesha. Ele faz algum truque? Ele entende alguma coisa que você fala? Você acha que ele é uma representação de Deus que veio ajudar o seu marido?

Ah, aqueles jornalistas bobalhões!

A única coisa boa foi ver a fúria inócua da Sra. Subramanium. A velha megera reclamou amargamente da agitação, mas ficara impotente frente aos repórteres invasores, que simplesmente enfiavam os microfones na cara dela toda vez que tentava enxotá-los do local. Poppy tinha certeza de que a Sra. Subramanium estava afiando as garras em preparação para a próxima reunião de condomínio...

E também teve todo o negócio com sua prima, Kiran. Certos desdobramentos extraordinários jogaram por terra todos os planos de Poppy. O namorado da filha de Kiran, Prarthana, o ignóbil herdeiro do industrial que tinha sido mandado para um internato na Europa, de alguma forma descobriu como voltar para Mumbai. Sem avisar aos pais, chegou no bangalô de Kiran e se jogou aos pés dela. À maneira destes tempos modernos, choramingou dizendo o quanto amava Prarthana e insistiu que estava disposto a fazer tudo direito com ela. Ele queria se casar com ela naquele mesmo dia.

Prarthana jogou um vaso de flores nele, causando uma concussão no desprezível rapaz, e mandou que rastejasse de volta para o pai dele.

O rapaz, assim que se recuperou do choque, ameaçou cometer suicídio ali mesmo, naquele momento, se Prarthana não concordasse em se casar com ele. Provou, assim, que era um verdadeiro adepto da escola Bollywood de melodrama. Prarthana entregou a ele uma caixa de fósforos e lhe disse para falar menos e fazer mais.

Por fim, Kiran forçou o casal a ouvir a voz da razão. Sem muito alarde, organizou o casamento. O marido dela, ainda em Délhi, ficou furioso, mas pelo menos daquela vez Kiran havia batido o pé. Ela não explicou por que o casamento era tão urgentemente necessário; Anand não precisava saber sobre aquilo, pelo menos não naquele momento.

O enraivecido pai do noivo também apareceu, e os botões de sua camisa de seda brilhante quase saltavam de sua profusa barriga em fúria. Ele gritou. Ele ficou com raiva. Ele balançou o punho e ameaçou chamar a polícia. Kiran se apressou em mandá-lo embora.

Poppy percebeu que sua prima podia realmente virar uma tigresa quando provocada.

E, embora as fofocas fossem abundantes – sem dúvida, perseguiriam o jovem casal por um bom tempo –, pelo menos eles seriam um casal *casado* quando o bebê nascesse.

Poppy tentou sentir-se feliz por sua prima, mas, por dentro, seu coração doía. Deus foi cruel, ela pensou, por ter lhe dado esperanças, depois de tantos anos, de se tornar mãe, e depois tomar aquela esperança de volta mais uma vez.

E, é claro, tinha toda a história da Outra Mulher.

Poppy estava mais convencida do que nunca de que seu marido estava prestes a deixá-la, prestes a morar com sua bela mulher, quem quer que ela fosse. E agora ela não podia mais nem manter a alegação de que finalmente daria um filho a seu resignado marido. Sua última esperança de manter o homem que amou a vida inteira tinha desaparecido.

E então, naquela manhã, quando havia se preparado para um último confronto, Chopra disse a ela para que se vestisse. Queria que o acompanhasse. Ele não disse para onde.

No autorriquixá, Chopra permaneceu em um silêncio solene, apesar das repetidas perguntas de Poppy. O mal-estar no estômago dela havia piorado, e chegou a sentir-se bem nauseada. Ela só conseguia pensar em um lugar para o qual pudessem estar se dirigindo. Chopra queria que ela conhecesse sua nova mulher. A questão era: como ela reagiria?

Vou arrancar os olhos dela com as unhas, pensou Poppy, desafiadora. Mas ela sabia que não faria isso. Se Chopra queria que ela conhecesse sua futura esposa, é porque desejava um final digno para o casamento deles. Ele sempre foi um homem orgulhoso de sua dignidade. Ela concederia aquilo a ele, pensou. Não importava o quanto lhe custasse, concederia aquilo a ele.

O autorriquixá parou.

Poppy olhou para fora. Estavam na Guru Rabindranath Tagore Road. Os carros passavam por eles voando do lado direito, enquanto um fluxo constante de pessoas se movia à esquerda.

— Por que paramos aqui?

Chopra não respondeu. Ele saiu do riquixá e pagou ao motorista. Intrigada, Poppy o seguiu.

Eles pararam na frente de um amplo edifício térreo, com uma varanda frontal que levava a um salão cavernoso com mesas e cadeiras arrumadas. Parecia um restaurante, ela pensou, um restaurante estilo dhaba. Ela olhou para o alto. Onde deveria estar a placa com o nome do restaurante, havia um tecido branco. Talvez a placa estivesse atrás.

Chopra subiu os pequenos degraus na frente da varanda e entrou no restaurante; Poppy foi atrás.

Acima deles, ventiladores de teto giravam, agitando o ar quente. Umas poucas moscas zumbiam preguiçosamente pelo interior escuro. Poppy estava começando a entender. Ele não queria levá-la para a casa da mulher. Não confiava o bastante nela para revelar exatamente onde sua nêmesis morava. Em vez disso, escolheu um lugar neutro para o encontro.

Ela olhou em volta, procurando por uma mulher sozinha sentada em uma das mesas.

Como ela seria, Poppy se perguntou. Atraente, sem dúvida. E jovem – ou, pelo menos, mais jovem que ela. Afinal de contas, Chopra ainda era um homem bonito.

De repente, ela percebeu que não havia ninguém no restaurante. Não era um lugar popular, então. Deve ter sido por isso que Chopra o escolheu; eles teriam privacidade, pelo menos isso, para a humilhação dela. O lugar parecia ter acabado de ser redecorado. O mobiliário não tinha cantos lascados, havia toalhas de mesa xadrez limpas e cadeiras estofadas de encosto alto que pareciam um tanto confortáveis. O piso de granito tinha acabado de ser colocado, e a pintura nas paredes era clara e agradável. Ela não conseguia ver nenhum cardápio, entretanto, e parecia não haver funcionários. Aquilo era estranho.

— Bem — disse Chopra —, o que acha?

Poppy estava confusa.

— O que quer dizer? O que acho do *quê*?

Ele sorriu. Parecia querer se divertir às suas custas.

— Quando o Dr. Devidikar disse que eu teria que me aposentar, fiquei apavorado. Não conseguia lhe dizer o quanto. O que faria com o resto da minha vida? Fui policial por tanto tempo que não conseguia pensar em nenhum outro tipo de existência. Mas aos poucos passei a aceitar a situação. Comecei a pensar sobre o que mais poderia fazer com meu tempo. Não queria me tornar aquele tipo de velho desajeitado que perambula por aí, lê o jornal em uma metade do dia e passa a outra metade assistindo a jogos de críquete, falando sobre os velhos e bons tempos. Então, aos poucos, elaborei um plano... Sabe, em Mumbai, agora temos todo tipo de restaurante. Se alguém no mundo come alguma coisa, servimos essa coisa em algum lugar da cidade. Mas há um tipo de restaurante que eu sempre quis que existisse e que nós não temos. Sabe qual é?

Poppy negou com a cabeça; sua confusão aumentava mais a cada minuto. O que diabos isso tinha a ver com a Outra Mulher?

— Um restaurante exclusivamente para policiais! — Chopra disse. O rosto dele mostrou um raro sorriso.

— O quê?

— Pense nisso. No fundo, um policial não é bem-vindo em lugar nenhum, não de verdade. A maioria dos restaurantes se apressaria a servir-lhe uma refeição gratuita, pensando que, se não fizessem isso, correria o risco de irritá-lo, e ninguém quer irritar um policial, mesmo que não tenha nada a esconder. E os outros clientes – assim que o policial senta – ficam desconfortáveis. Não há nenhum lugar a que um policial possa ir nessa cidade e saiba que não somente é bem-vindo, mas também parte da família. Foi aí que pensei nesse lugar. Um restaurante onde policiais podem se reunir, sabendo que o próprio dono já foi policial, sabendo que a clientela é formada só por policiais. Um lugar onde podem se encontrar e ser eles mesmos, onde podem trazer a família, se quiserem, onde podem sentar com colegas e falar sobre o dia no trabalho, ou simplesmente ficar em paz por alguns instantes; um porto em uma tempestade, um lar longe do lar.

Chopra sorriu.

— Este é nosso novo restaurante.

— *Nosso* restaurante? Quer dizer você... e a outra?

— Outra? — Agora foi sua vez de ficar confuso. — Que outra?

— A outra mulher — lamentou Poppy, desesperada. Tinha prometido a si mesma que não choraria, mas sentiu as lágrimas acumulando no canto dos olhos. Torceu para que o rímel não escorresse. Ela ficava horrível quando o rímel escorria.

— Ah, Poppy! — disse Chopra, exasperado. — Venha comigo.

Ele deu meia-volta e foi até a frente do restaurante, onde batia o sol. Havia uma energia em seus passos que ele reconheceu ser a mesma de seus primeiros anos na polícia.

Os últimos dias tinham sido um tipo de renascimento para Chopra. Nos intervalos entre suas contendas com a imprensa, passou a maior parte do tempo recebendo um fluxo contínuo de ligações dos policiais mais antigos da cidade. Uns poucos colocaram em dúvida sua investigação e a autoridade sob a qual a teria conduzido. Mas, no geral, havia um sentimento genuíno de que Chopra, um policial aposentado, tinha excedido suas obrigações e, ao fazê-lo, honrara a corporação. Um dos seus havia desmontado uma importante associação criminosa e finalmente encerrado a carreira criminal de Kala Nayak. E o fato de Chopra ter revelado o envolvimento de Ashok Kalyan no negócio e a cumplicidade de vários policiais deu ao comissário munição para iniciar outra investigação de larga escala sobre a corrupção dentro da força policial. Com os jornais ao seu lado, o comissário ocupou-se de lançar luzes sobre a situação, fazendo todo tipo de barulho sobre gângsteres e policiais corruptos que influenciavam e constrangiam policiais vulneráveis e mal remunerados.

Chopra sabia que o comissário era um animal político e que usava a situação a seu favor. Mas também tinha ouvido que o homem era honesto – tão honesto quanto possível para o chefe de polícia de Mumbai. Ele tinha certeza de que muitas coisas boas viriam de sua cruzada, mesmo que parte disso envolvesse o engrandecimento da carreira do comissário.

Uma consequência da furiosa atividade dos últimos dois dias foi que Chopra mal havia tido um minuto para si mesmo. Praticamente não teve oportunidade para resolver suas diferenças com Poppy. Nas poucas ocasiões em que tentou, ela ficou em tal estado de raiva por seu comportamento recente que ele desistiu da tentativa. Agora que finalmente tinha percebido exatamente o que se passava pela cabeça dela, sentiu-se repentinamente envergonhado. Havia causado a ela muito sofrimento e essa nunca tinha sido sua intenção.

Naquele momento, uma picape estacionou ao lado deles. O subinspetor Rangwalla saiu da cabine do motorista.

— Rangwalla! — disse Chopra, sério, voltando ao presente. — Está atrasado.

— Sim, senhor. Desculpe, senhor. Houve um problema na delegacia. Uma equipe da Agência Central de Investigação chegou para interrogar o inspetor Suryavansh. Eles o levaram para o escritório em Colaba. Acho que ele não volta tão cedo.

— Mas então quem está no comando na delegacia?

— O CAP Rao colocou o inspetor Modak no comando temporariamente, senhor. Até que o inspetor Suryavansh volte.

— E se ele não voltar?

— Só nos resta rezar, senhor — disse Rangwalla, impassível. — É claro que isso foi antes de o próprio CAP Rao ser convidado a visitar os escritórios da Agência.

O rosto de Chopra não mostrava emoção nenhuma. Ele se lembrou de como Rao se opusera veementemente à sua determinação de conduzir uma autópsia no corpo de Santosh Achrekar...

Rangwalla foi até a traseira da picape e abriu a porta da caçamba. Ganesha trotou para fora. Imediatamente, o elefantinho levantou a tromba e acariciou o rosto de Chopra.

— Só um minuto, Poppy — ele disse. — Preciso cuidar do nosso pequeno amigo primeiro.

Ele levou Ganesha por uma estreita viela que passava ao lado do restaurante e entrou em um complexo que havia nos fundos. O complexo era seguro, tinha muros de três lados e uma varanda coberta que olhava do fundo do complexo para frente. No fundo do complexo havia uma enorme mangueira, cheia de frutas. Debaixo da árvore, uma piscina de água lamacenta, cercada de grama seca. Ganesha correu para a mangueira e olhou com atenção para a piscina de lama.

— Bem-vindo ao seu novo lar, garoto — disse Chopra.

O elefante ergueu a cabeça e molhou a ponta da tromba na piscina, como se testasse a água. Ele pareceu satisfeito com o que tinha pressentido e deu um passo adiante para se jogar na lama. Estendendo a tromba, pegou uma manga que havia caído e enfiou na boca.

Nos últimos dias, o elefantinho parecia ter recuperado completamente seu apetite e desistira de seu jejum voluntário. Para desânimo de Chopra, ele continuou viciado em besteiras, principalmente em barras de chocolate ao leite Cadbury. Mas, pelo menos, também começou a fazer uma dieta mais apropriada a elefantes. Chopra tinha esperança de que em poucos meses Ganesha começaria a ganhar peso.

— Por que não me contou que ia trazê-lo para cá? — perguntou Poppy, rabugenta, esquecendo temporariamente de suas outras preocupações. — Sabe que a Sra. Subramanium vai pensar que me derrotou.

— A Sra. Subramanium estava certa. Um prédio de apartamentos não é lugar para um elefante. — E nem o seria, pensou Chopra, um santuário de elefantes a milhares de quilômetros de distância, não para o meu Ganesha. Naquela manhã mesmo tinha ligado para o Dr. Rohit Lala. Agradecendo ao veterinário por seu empenho, explicou que no fim das contas não conseguiu abrir mão da responsabilidade que seu tio tinha lhe confiado quando mandou o elefantinho.

O Dr. Lala se mostrou surpreso.

— Tem certeza de que sabe o que está fazendo? — ele perguntou.

— Não — Chopra respondeu com ternura. — Apenas sei que é a coisa certa a fazer.

Chopra se voltou para Rangwalla.

— Você pegou a placa?

— Sim, senhor — disse Rangwalla. Ele enfiou a mão na sacola que segurava e tirou uma grande placa de metal, com uns sessenta centímetros de cada lado. A placa refletiu o sol quando ele a entregou para Chopra. Com a curiosidade despertada, Poppy olhou por cima dos ombros do marido e leu a inscrição no lustroso pedaço de metal:

Agência de Detetives Baby Ganesh

— O que é isso? — ela perguntou, desconfiada. Poppy estava ficando cada vez mais confusa com o comportamento de seu marido. Ela viera preparada para uma discussão cheia de emoções e algum tipo de explicação, mas, em vez disso, Chopra andava em círculos como se nada estivesse acontecendo. E agora aquilo...

— Isso, minha querida, é minha segunda grande ideia.

— O que quer dizer?

Chopra colocou a placa no chão e se virou para ela.

— Poppy, eu sou um detetive. Posso não usar mais uniforme, mas é o que sou. Esse restaurante vai andar praticamente sozinho. Preciso de outra coisa para ocupar meu tempo, algo que me faça sentir que ainda sou o mesmo Ashwin que você conheceu todos esses anos. Toda aquela coisa com o caso de Achrekar me deu a ideia. Passei trinta anos aprendendo a ser um detetive. Só porque estou aposentado não significa que meu cérebro também se aposentou. Posso continuar a fazer o que sempre fiz, porém, agora, posso escolher em que casos quero trabalhar.

— Mas e o seu coração?

— Eu não sou bobo. Daqui por diante só pegarei casos que não me coloquem em alto risco. Você sabe, maridos desaparecidos, testamentos perdidos, esse tipo de coisa. Mas é algo que tenho que fazer. Simples assim. Espero que possa entender. — Poppy abriu a boca para se queixar, mas então hesitou. Desde que o conhecia, seu marido era policial. Ela não conseguia imaginar o que significava para ele ter aberto mão daquilo. Deveria ter sido como abrir mão de parte de si mesmo. Ela seria mesmo capaz de negar-lhe isso?

Um detetive particular. Será que seria mesmo uma atividade mais segura do que ser um policial na ativa?

Ela suspirou.

— Onde ficará o escritório dessa agência de detetives supersofisticada? — ela perguntou, por fim.

Chopra sorriu.

— Você está nele.

Ela arregalou os olhos e começou a rir.

— E suponho que ele seja seu parceiro, não? — ela disse, apontando para Ganesha, que rolava feliz na água lamacenta.

— Não se esqueça do que o tio Bansi disse: ele não é um elefante comum.

Rangwalla andou até a mangueira.

— Senhor, você não acredita em toda aquela baboseira, não é?

Ganesha olhou para Rangwalla. Então, encheu toda a tromba de água e soltou um jato no cético subinspetor, ensopando-o até os ossos.

Poppy e Chopra caíram na gargalhada enquanto Rangwalla logo batia em retirada, xingando em voz baixa.

— Vamos — disse Chopra. — Ainda não mostrei a você a melhor parte. — Ele levou Poppy até a frente do restaurante. — Não me perguntou qual será o nome do nosso novo restaurante.

— *Nosso* restaurante?

— Sim. Seu e meu.

— Mas… Mas… E a… outra mulher?

— Poppy, pela última vez, não existe outra mulher!

— Então você não estava planejando me deixar?

— Deixá-la? — disse Chopra. Ele pareceu genuinamente surpreso. — Por que diabos eu faria isso?

Ela abaixou a cabeça, triste.

— Você sabe por quê.

Chopra a abraçou.

— Deus tem sido muito bom para mim. Ele me deu você. Não preciso de mais nada.

Poppy olhou nos olhos do marido e soube que ele dizia a verdade. Ela sentiu lágrimas se formarem no canto dos olhos.

No fundo, ela sabia que o plano de adotar o bebê de Kiran era um ato de desespero. Para dar certo, ela teria que ter mentido para o homem mais honesto que já conheceu. O pensamento tinha fermentado dentro dela e, de certa forma, era um alívio que não tenha se tornado realidade.

As palavras de Chopra eram agora o bálsamo perfeito para seu coração partido.

Ela se animou com uma repentina sensação de esperança.

— Mas então quem tem ligado para você? Pensei que fosse... outra mulher.

— Shalini Sharma? É uma consultora de restaurantes com quem tenho me reunido. Ela me dá conselhos muito valiosos.

O sorriso de Poppy se transformou em sobrancelhas franzidas.

— Um restaurante é um negócio muito estressante. Se tivesse me contado sobre ele, nunca o teria deixado ir adiante com isso.

— E esse foi exatamente o motivo de eu ter mantido tudo em segredo — disse Chopra. Ele viu a melancolia no rosto da esposa. — Vou contratar pessoas competentes para me ajudarem a administrá-lo. Vou ser, digamos, um daqueles figurões donos de restaurante, passando de vez em sempre para experimentar algo do cardápio e mudar as cadeiras de lugar.

Poppy ficou em silêncio; depois, por fim, deu uma risadinha.

— Muito bem, Senhor Figurão. Apenas lembre-se.... *Eu* sou a única *chef* na sua vida.

— Você é muito mais do que isso, Poppy. — Chopra deu meia-volta, andou até a varanda e parou bem debaixo da fachada. Poppy notou que havia uma corda pendendo de uma de suas pontas. Ela olhou para cima, e viu que a corda estava presa ao tecido que cobria o nome do restaurante. Com um floreio teatral, ele puxou a corda, tirando a cobertura de tecido e revelando o nome do restaurante:

POPPY'S
Bar e restaurante para policiais

EPÍLOGO

A chuva batia nas janelas do quarto do inspetor Chopra mais uma vez.

Mumbai estava inundada. A previsão de Homi Contractor estava correta: as monções, agora que tinham chegado, estavam se tornando as mais intensas da história. A cidade estava em constante estado de alerta com a perspectiva de repetidas enchentes. Onde, apenas um mês antes, todos se queixavam do calor dos tempos de seca, agora todos reclamavam com amargura das horrendas inundações.

Chopra acordou e sentou na cama. Estava coberto de suor. Sentia seu coração martelando o peito. Ele tinha sonhado, sonhado com seu tio Bansi. O sonho foi sobre alguma coisa que havia esquecido, alguma coisa a respeito de seu tio que simplesmente não lhe havia ocorrido até então; uma lembrança enterrada que bruscamente flutuou para a superfície de sua consciência, como um balão atado a um peso depois que se corta o barbante.

Havia sido um dia abafado e Bansi tinha levado Chopra, então com oito anos, ao festival mela que acontecia depois de cada colheita na vila vizinha, Ramnagar. Chopra tinha adorado tudo no mela: as cores, o barulho, a trupe de artistas que vinha todos os anos para entreter a multidão.

O tio Bansi desfrutara do festival tanto quanto o sobrinho; na verdade, muita gente achou que ele fazia parte do entretenimento – ele e Chopra foram parados várias vezes por pessoas que queriam que Bansi previsse seus destinos.

Perto do fim do dia, um daqueles benevolentes retribuiu o prognóstico agradável de Bansi dando-lhe um doce. Bansi compartilhou-o com Chopra. Ele nunca esqueceu o olhar de profundo prazer no rosto de seu tio, enquanto comia sua metade do doce. "Se soubesse que eram tão gostosos, comia um desses todos os dias!", ele disse.

E, até onde Chopra sabia, foi exatamente isso que ele fez. Todos os dias que seu tio havia passado na vila, ele foi até a mercearia do Hari e comprou a mesma coisa. Como ele podia ter esquecido daquilo? Como podia ter esquecido que seu tio Bansi adorava o chocolate ao leite Cadbury?

AGRADECIMENTOS

Nenhum livro pode ser publicado sem a ajuda, os conselhos e a boa vontade de um grande número de pessoas. Nesses tempos de vacas magras para os autores de primeira viagem, ficarei eternamente em débito com meu agente Euan Thorneycroft, da A.M. Heath, e minha editora Ruth Tross, na Mulholland. A confiança de ambos foi o que permitiu que você lesse esta história.

Também sou grato a todos que ajudaram a melhorar significativamente o manuscrito original. Thomas Abraham e Poulomi Chatterjee, da Hachette India, Amber Burlinson, preparadora de texto, e Zoë Carroll, revisora com olhos de águia. A elas, acrescento Euan, cujos criteriosos comentários me ajudaram a amarrar melhor a compreensão do local onde se passa a história e a dar acabamento aos personagens. Agradeço em especial a Ruth, que, com seu constante entusiasmo, sua incansável atenção aos detalhes da trama e sua forma gentil de persuasão engrandeceu muitos aspectos dessa obra. Quem disse que editores têm que ser tirânicos?

Gostaria também de agradecer à equipe da Ruth na Mulholland: Naomi Berwin do marketing, Kerry Hood da publicidade, Laura Del Vescovo da produção, e também à assistente de Ruth, Sharan Matharu. Da mesma forma, agradeço à assistente de Euan, Pippa McCarthy.

Outro agradecimento especial vai para Anna Woodbine, que fez o projeto e ilustrou a capa original do livro, mesclando com perfeição as cores e a exuberância da Índia com o coração dessa história: um homem e seu elefante.

Meu cunhado Ashwin Chopra merece uma menção honrosa por permitir que eu pegasse seu nome emprestado. A integridade dele é tão irrepreensível quanto a do inspetor Chopra.

Por fim, gostaria de agradecer àqueles que me auxiliaram na pesquisa para este trabalho. Minha esposa Nirupama Khan, meus grandes amigos de Mumbai e meu colega da UCL e ex-policial na Índia, Dr. Jyoti Belur. Uma menção especial também para Terry Brewer, que me levou pela primeira vez ao subcontinente e, em um sentido bem literal, colocou meus pés na longa estrada até a publicação.

Esta obra foi composta pela SGuerra Design em Caslon Pro e impressa
em papel Pólen Soft 70g com capa em Ningbo Fold 250g pela
RR Donnelley para Editora Morro Branco em fevereiro de 2017